GRANDES ESCRITORES DA LITERATURA FRANCESA

ALEXANDRE DUMAS FILHO

A DAMA DAS CAMÉLIAS

3ª EDIÇÃO

TRADUÇÃO
MARINA GUASPARI

PREFÁCIO
MARIA LÚCIA DIAS MENDES

EDITORA
NOVA
FRONTEIRA

Título original: *La Dame aux Camélias*

Direitos de edição da obra em língua portuguesa no Brasil adquiridos pela Editora Nova Fronteira Participações S.A. Todos os direitos reservados. Nenhuma parte desta obra pode ser apropriada e estocada em sistema de banco de dados ou processo similar, em qualquer forma ou meio, seja eletrônico, de fotocópia, gravação etc., sem a permissão do detentor do copirraite.

Editora Nova Fronteira Participações S.A.
Rua Candelária, 60 — 7ª andar — Centro — 20091-020
Rio de Janeiro — RJ — Brasil
Tel.: (21) 3882-8200

Imagem de capa: Alamy

Dados Internacionais de Catalogação na Publicação (CIP)

D886d   Dumas Filho, Alexandre
       A dama das camélias / Alexandre Dumas Filho ; traduzido por Marina Guaspari. – 3.ed. – Rio de Janeiro: Nova Fronteira, 2022.
       240 p. ; 15,5 x 23 cm

       ISBN: 9786556401898

       1. Literatura francesa. I. Guaspari, Marina. II. Título

                                      CDD: 843
                                      CDU: 821.133.1

André Queiroz – CRB-4/2242

Impresso na Gráfica Santa Marta

Prefácio

A Dama das Camélias: Um mito moderno

É muito provável que você já tenha ouvido falar de Marguerite Gautier, a Dama das Camélias, ainda que não tenha lido o romance: essa personagem tornou-se um mito literário moderno. A obra, publicada pela primeira vez em 1848, pela editora Cadot, narra a história do amor virtuoso de uma cortesã francesa do século XIX pelo jovem Armand Duval e cristalizou o perfil da mulher de vida libertina que, graças ao amor puro e abnegado, redime os seus erros e pode encontrar a paz.

O século XIX criou muitos mitos modernos — como os três mosqueteiros, a Madame Bovary, Rastignac, o Conde de Monte-Cristo, Quasimodo e Esmeralda, o Bel-Ami —, que procuravam formular as inquietações daquele tempo. No entanto, essas personagens concentraram de uma maneira tão efetiva alguns temas e dilemas atemporais que os tornaram eternos. São personagens que provocam um impacto profundo no imaginário coletivo, tornam-se tão célebres e conhecidas que ganham uma vida à parte, se desprendendo da obra a que pertencem. Inspirações para outras obras, essas personagens são adaptadas para teatro, ópera, musicais, cinema, quadrinhos e adquirem uma trajetória independente da vontade do seu autor-criador.

Muitas vezes, essas obras tornam-se maiores até mesmo do que seus criadores. Se atualmente ainda sabemos quem é a Dama das Camélias, o que poderíamos dizer sobre a cortesã que lhe serviu de inspiração? Ou sobre o autor que a criou?

Pode ser difícil para o leitor do século XIX recuperar o impacto que o romance *A dama das camélias* teve em sua primeira publicação. É preciso voltar um pouco no tempo, para a Paris de 1848.

Nesse ano, a cidade se recuperava das barricas da revolução que havia restaurado a República, que duraria alguns meses; os escritores veem a possibilidade de agir politicamente em prol das mudanças tão desejadas pelo romantismo: o poeta Lamartine foi nomeado ministro dos negócios estrangeiros do governo provisório; Victor Hugo e Eugène Sue tinham sido eleitos para a Câmara de Deputados. O progresso parecia vir em passos largos, com a implantação em larga escala das estradas de ferro, das máquinas à vapor e do telégrafo. A população da cidade aumenta, há uma reorganização da cidade que cria uma nova geografia, que reflete o enriquecimento de alguns e o empobrecimento de muitos.

A vida social gira em torno dos bailes, das apresentações teatrais, dos salões, das corridas de cavalos, dos cafés e restaurantes. Os eleitos para usufruir dessa vida elegante (*"Le tout-Paris"* ou *"Le monde"*, como se dizia à época) são um grupo de tamanho instável, composto por aristocratas, nobres, burgueses endinheirados, novos ricos, homens de letras e celebridades em geral. Essas pessoas se conhecem, frequentam os mesmos espaços, ainda que não compartilhem a mesma origem ou a mesma posição política. É um mundo de aparências, muito bem retratado pelos romances de Balzac, onde as regras de polidez e de convivência são tácitas e onde cada um sabe o seu lugar. Onde o dinheiro, apesar de muito bem-vindo, pode não garantir acesso a todos os privilégios.

As transformações e contradições dessa sociedade aparecem representadas nas peças de teatro e nos romances. O teatro é um dos passatempos favoritos, oferece um duplo entretenimento para o espectador, atraído tanto pelo que se passa no palco quanto o que pode observar nos camarotes e na plateia. Por ser um lugar público, favorece os encontros, permite uma aproximação entre pessoas que pertencem a grupos diferentes, onde é possível ver e ser visto. Os romances, por sua vez, tornam-se cada vez mais desejados. O aumento do público leitor, cativado pelos romances folhetins publicados em fascículos nos jornais, encontra uma variedade cada vez maior e mais diversificada de títulos à sua disposição, em edições em formatos de preço mais acessível ou em gabinetes de leitura. O romance faz a mediação e propicia o acesso dos seus leitores à própria realidade, oferecendo uma expressão de sua subjetividade e intimidade.

Os homens de letras participam ativamente dessa vida mundana dispendiosa, procurando meios para financiá-la. Com o fim do mecenato, tiveram de "viver da própria pena", escrevendo para jornais, publicando textos de todo de gênero, moldando-se às encomendas dos editores e ao gosto do público, como a personagem Lucien de Rubempré, do romance *Ilusões perdidas*, de Balzac.

Desde os anos 1830, o lema na França era "Enriquecei-vos!", afinal ninguém pode viver sem dinheiro em uma sociedade em que *parecer* é tão importante. Antes mesmo que o capitalismo financeiro e a industrialização chegassem ao apogeu, a riqueza aparecia como um dos fatores importantes para uma boa posição social. Além disso, a possibilidade de *ascensão social*, em princípio aberta a todos é, para os homens dessa época, uma noção fundamental. Mas a outra é *herança*, palavra que insere o papel da família e das vantagens imputadas ao nascimento no funcionamento do sistema burguês.

A família deve ser construída e mantida por laços afetivos, mas também pelo compromisso moral e legal, assim o governo começa a se preocupar em fornecer os subsídios legais para sedimentar e regulamentar o casamento. Como já dissemos, a família era uma preocupação, visto que tinha função de resguardar os valores burgueses, o papel de garantir a transmissão dos bens e das propriedades.

A mulher ocupa um lugar importante nessa concepção de família. Considerada a peça fundamental para a organização da família burguesa, a mulher deve zelar pela manutenção da saúde física e moral de seus membros, garantindo a transmissão dos valores morais (por meio da educação e da conduta) e financeiros para seus herdeiros. A mulher também é vista como uma maneira potencial de aumentar o patrimônio financeiro e moral da família, por meio do dote recebido pelo casamento (e pelas associações que ele propicia com outras famílias), mas, para isso, a moça deve ser virgem. Por isso, é necessário que ela seja educada dentro desses valores e vigiada (pela família e pela sociedade) para que nada a desvie do caminho desejado — paixões incontroláveis por rapazes inadequados, amantes...

O romance *A dama das camélias* nos oferece um retrato de uma mulher participa intensamente desse mundo regido pelas aparências sem, no entanto, estar integrada a ela por completo. Por ser uma cortesã, sua presença é tolerada, mas nunca totalmente aceita.

A prostituição era relativamente bem tolerada e bem controlada na Paris do século XIX. Tolerada porque era considerada uma necessidade da sociedade; funcionava como um escape para o bom funcionamento dos casais e a manutenção do patrimônio familiar. O amor venal fazia parte da educação sentimental de muitos rapazes e permanecia, depois de adultos, como uma prática masculina corrente e uma maneira de preservar as jovens imaculadas até o casamento. Controlada, porque pode provocar uma ruptura na célula familiar (filhos bastardos, adultério, separações, desvio do dinheiro familiar).

A cortesã é herdeira das favoritas dos reis, das *femmes galantes* do Antigo Regime. Escolhe quem recebe em sua casa, uma clientela composta por um ou mais homens ricos e muitas vezes poderosos, que podem manter seus luxos em troca de companhia, status ou sexo. Não importa qual tenha sido a sua origem, a cortesã não se preocupa com a polícia, pois geralmente possui relações que lhe permitem se sentir protegida. Sua situação financeira é instável, pois depende de seus amantes, e ela gasta muito dinheiro para ostentar um modo de vida exuberante. Essas cortesãs — apesar de terem a rotina, os anseios e as desilusões bem similares com os das mulheres das classes mais favorecidas, circularem pelos mesmos espaços e muitas vezes se misturarem às mulheres *de bem* — carregam o estigma de serem mulheres desclassifcas, ou, como a polícia dizia à época, *insubordinadas* (*Insoumises*).

A representação da cortesã ocupa um lugar importante na literatura oitocentista, refletindo uma espécie de fascinação que a sociedade da época tinha por essas mulheres. Foram criadas várias personagens literárias que compõem um retrato mais ou menos idealizado da vida das cortesãs — Marion Delorme (do drama homônimo de Victor Hugo, 1831), Esther (*Misérias e esplendores das cortesãs*, de Balzac, 1838); Fleur de Marie (de *Mistérios de Paris*, de Eugène Sue, 1842); Fernande (do romance homônimo de Alexandre Dumas, 1844) — e que abrem caminho para a obra de Dumas Filho e de outros (como os Irmãos Goncourt, J-K Huysmans, Émile Zola e Maupassant).

Essa ligação entre a personagem Marguerite Gautier e essa linhagem de cortesãs é feita pelo próprio narrador, ressaltando que isso não é motivo para o leitor perder o interesse pelo romance. Mas, afinal, qual seria o motivo para o leitor — sobretudo o leitor dos dias de hoje — continuar interessado pelo romance?

Segundo o autor, o maior mérito da sua história é ela ser verdadeira. Diz que não pretende, de modo algum, fazer a apologia do vício, defendendo a prostituição, entretanto sente-se no dever de contar uma história que demonstra que, mesmo no vício, algumas prostitutas são capazes de atos nobres movidos por um amor puro e desinteressado. Insiste que é uma história excepcional, pois se fosse a regra não valeira a pena escrevê-la.

Na época da primeira edição do romance, em 1848, já havia um rumor de que Alexandre Dumas Filho havia escrito a obra baseado na sua relação com Marie Duplessis. Ela era uma cortesã célebre, havia morrido recentemente e tinha muitos traços em comum com a personagem de Marguerite Gautier. E até mesmo as iniciais do personagem Armand Duval foram associadas às de Alexandre Dumas. Na segunda edição, em 1851, as dúvidas se dissiparam: o próprio autor pediu ao amigo escritor e jornalista Jules Janin que fizesse um prefácio sobre Marie Duplessis. A partir de então, a leitura da obra pelo viés biográfico passou a predominar entre os leitores e os críticos, sobretudo porque Dumas Filho escreveu outras obras baseadas em sua vida pessoal.

No início do romance, o narrador afirma que não tem ainda maturidade para criar, que se contenta em narrar uma história que lhe foi contada por alguém que a viveu. Humildemente, assume suas limitações e, antes mesmo de começar a narrar, diz que todas as personagens da história estão vivas, menos a heroína. Propondo um pacto de leitura realista, deixa no leitor a impressão de que a história pode ser confirmada por outros personagens que a acompanharam e passa a confiança de que ele está relatando aquilo que realmente aconteceu e da forma que aconteceu. Uma sensação que vai se confirmando à medida que sua narração e seu olhar de *flâneur* parece nos conduzir por um passeio pelas ruas do Chaussée-Antin (região onde habitam banqueiros, industriais e artistas, símbolo de riqueza e luxo) e, depois, nos leva para dentro do apartamento da cortesã, enquanto reflete filosoficamente sobre a condição das prostitutas, relembra os momentos em que viu Marguerite Gautier pela primeira vez, critica a hipocrisia e curiosidade das pessoas (principalmente das damas da sociedade) que vasculham a intimidade da morta. Compartilhamos a experiência desse narrador-autor e, acompanhando a linha de pensamento que conduz a construção da narrativa, somos levados por uma espécie de voyeurismo, levados pelo desejo de saber os detalhes dessa personagem, como e em que circunstâncias se dá a morte da heroína. Penetramos nesse universo libertino e marginal conduzidos por um narrador que parece confiável.

Depois, o narrador coloca em cena um volume de *Manon Lescaut* encontrado entre os pertences da cortesã, uma obra literária escrita por Abbé Prévost, em 1731. Obra muito lida e famosa à época, narra a história de Des Grieux, um rapaz nascido na aristocracia que tem sua vida totalmente desestabilizada depois que se apaixona por uma mulher fatal, sem escrúpulos. Além disso, essa obra também possui um narrador que afirma que essa história lhe foi confiada pelo próprio Des Grieux. Para o leitor experimentado, essa obra já indica um possível percurso e uma chave de leitura para a narrativa: uma paixão arrebatadora de um jovem aristocrata inexperiente por uma mulher maliciosa, um final trágico.

Um encontro ao acaso, no leilão dos bens da cortesã, colocará o narrador diante de Armand Duval, que sofre visivelmente. Aos poucos a cumplicidade e a amizade vão se instalando entre os dois, e Armand decide compartilhar a história de Marguerite Gautier e da paixão avassaladora que sentiu por ela. A trama vai sendo composta por um narrador que escreve o livro e um narrador que efetivamente viveu a história, que alternam as vozes. O ritmo da narrativa torna-se intenso, o narrador-autor age como um mediador da narrativa feita por Armand, esclarecendo passagens, pontuando com comentários e até mesmo participando ativamente de cenas, permitindo que o leitor tome distância e observe a narrativa de outra perspectiva. Os dois narradores, juntos, vão compondo a imagem da cortesã.

Marguerite de Gautier vai surgindo diante dos olhos do leitor por meio das lembranças de Armand em cenas que ele descreve com emoção. Como se trata de uma narrativa em retrospectiva, feita por um homem apaixonado e ainda de coração partido, é evidente que ele procura recuperar fragmentos da vida e da história de Marguerite que sejam representativos de sua personalidade e que a diferenciem das outras mulheres como ela. Entramos na intimidade e nos sonhos dessa cortesã, conhecemos as suas origens, sua vida libertina, o seu sofrimento por causa da pneumonia, a sua solidão. Por meio do seu relato, acompanhamos as mudanças que o amor por Armand traz para a sua vida, como o desejo de trocar a vida de luxo e de aparências por uma vida simples no campo. O narrador-autor nos mostra perspectivas diferentes da cortesã, baseadas em sua convivência com ela, em opiniões de outras personagens que a conheciam, outros admiradores.

Armand, ao narrar a história, expõe nas entrelinhas ou declaradamente as suas próprias convicções, contradições e arrependimentos. Jovem advogado burguês, ainda dependente financeiramente de sua família, sem experiência com a vida libertina, apaixona-se loucamente por uma cortesã e exige exclusividade. Entretanto, não tem meios para sustentar os luxos da amada, e ela não pode dispensá-los. Apesar de conhecer as regras que organizam as relações entre as cortesãs e seus clientes, ele cai na armadilha do amor romântico e se deixa levar pela fantasia de uma vida a dois. Quando acontece o rompimento, ele se sente traído, se torna vingativo e mal pode imaginar que ela atendia um pedido do pai para preservar a honra da família. Armand só toma conhecimento da verdade quando já não há mais tempo, por meio das cartas que ela lhe envia antes de morrer.

No romance *A dama das camélias*, a moralidade burguesa triunfa no final: o desfecho possível entre o amor de uma cortesã e um rapaz aristocrata é a ruptura e a morte. Entretanto, os valores burgueses não passam incólumes, o que explica o escândalo que ele provocou no seu lançamento, pois o fato de Dumas Filho ter reverenciado a honestidade e inteligência de uma cortesã e ter lhe dado tamanha grandeza chocou alguns críticos. Marguerite é moralmente superior aos outros personagens, não exprime nenhum remorso sobre suas escolhas e enfrenta a hipocrisia do senhor Duval com a lucidez e franqueza que lhe são características. Mas ela tem consciência que dentro dos padrões morais do seu tempo não há lugar para uma cortesã manter um relacionamento amoroso com um rapaz burguês: só lhe é permitido uma troca de prazer por dinheiro. Por isso, aceita a proposta e renuncia ao seu amor.

Sob a máscara da moral, outra questão é exposta. Não se trata apenas de separar um casal que não pode estar junto porque ela é uma cortesã e ele, um burguês: trata-se de preservar e garantir o status e a situação financeira da família Duval. Se Armand se casar com Marguerite, poderá comprometer a sua carreira, o casamento da sua irmã ficará em risco e, com a moral familiar abalada, não será possível conseguir outro bom partido.

Quanto ao amor, o romance apresenta suas duas faces, experimentadas pelas duas personagens principais em um doloroso processo de aprendizagem. Marguerite conhece o amor puro e devotado, enobrecedor. Um amor que a leva a uma mudança de comportamento, uma purificação do corpo e da alma. Armand, por outro lado, experimenta o amor em sua feição mais degradante. A paixão desmedida o torna repulsivo, vingativo e desrespeitoso com Marguerite e com seu pai, pois o jovem não admite a separação. Só depois da morte da amada é que ele conseguirá compreender as razões que a levaram a deixá-lo: o que parecia rejeição era, na verdade, renúncia.

Em 1867, para compor uma edição completa de suas obras para teatro, Dumas Filho escreve um prefácio longo, chamado "À propos de *La Dame aux Camélias*", no qual dá detalhes da criação do romance e da adaptação para o teatro, reivindica o direito dos artistas de retratar qualquer elemento da realidade social e discute longamente sobre as mudanças que havia notado nos valores morais franceses, nesses vinte anos que se passaram. E, mais uma vez, afirma que a pessoa que serviu de inspiração à obra foi Marie Duplessis ou Alphonsine Plessis, uma das últimas e únicas cortesãs que possuíam um coração e, sem dúvida, foi por esse motivo que ela morreu tão jovem. Afirma que ela nunca viveu as mesmas aventuras patéticas de Marguerite Gautier nem mesmo era chamada de Dama das Camélias, apelido criado por ele. Entretanto, como na época do lançamento do romance fazia apenas um ano que ela havia morrido, as aventuras e o apelido foram instantaneamente associados a ela.

"Se você for ao Cemitério de Montmartre e pedir para ver o túmulo da Dama das Camélias, o vigia o conduzirá até o um pequeno monumento quadrado, que tem embaixo das palavras *Alphonsine Plessis* uma coroa de camélias artificiais em uma caixa de vidro incrustrada no mármore. Esse túmulo agora tem uma lenda. A arte é divina, cria ou ressuscita" (DUMAS FILS, 1867).

Alexandre Dumas Filho, nesse momento, tinha a consciência de que, por meio da arte, ele havia criado uma personagem que ascendera ao patamar de um mito e que seu impacto no imaginário coletivo era evidente. Marie Duplessis e Marguerite Gautier haviam se tornado a Dama das Camélias.

A dama das camélias é muito mais do que uma história de amor entre uma cortesã e um rapaz bem-nascido. Propõe ao leitor um mergulho na sociedade francesa do Segundo Império, explicitando seus valores e contradições, por meio da trajetória de uma cortesã que, apesar de todas as dificuldades, conseguiu ascender socialmente graças à sua beleza e inteligência. A renúncia ao amor por Armand Duval e sua postura resignada diante do pedido do pai (mensageiro da moral social) fizeram com que a personagem se tornasse um arquétipo de mulher que se sacrifica pelo amor e fazem com que o livro provoque uma enorme comoção entre os leitores.

As obras que penetram profundamente no imaginário coletivo são aquelas que fazem perguntas que dizem respeito tanto aos nossos antepassados quanto a nós. Perguntas que, às vezes, não eram conscientes ou que parecem, à primeira vista, obsoletas. *A dama das camélias* propõe, aos leitores atuais, a reflexão sobre alguns temas universais e seus desdobramentos na contemporaneidade, tais como: a pertinência do modelo da família burguesa (família composta pelo casal e seus filhos); o lugar da mulher e o seu direito sobre o seu corpo; o amor (e suas variações); o culto às aparências e à celebridade; as convenções sociais; a separação entre o que público e o que é privado; o valor do dinheiro; a possibilidade (ou não) dos indivíduos conquistarem a liberdade.

Assim como em 1848, não temos respostas simples.

Maria Lúcia Dias Mendes
Professora Associada do Departamento de Letras da
Escola de Filosofia, Letras e Ciências Humanas da Unifesp

Capítulo I

Acho que não se pode criar personagens sem antes haver estudado muito os homens, do mesmo modo como não é possível falar uma língua sem antes a ter estudado cuidadosamente.

Como já passei da idade em que se inventam as coisas, contento-me em relatá-las.

Convido portanto o leitor a se convencer da realidade desta história, cujas personagens, à exceção da heroína, estão ainda vivas.

Além disso, há em Paris testemunhas da maior parte dos fatos que aqui descrevo e que os poderiam confirmar se minha palavra não bastasse. Por questão de circunstâncias, somente eu estou em condições de realizar esta obra, pois fui o único confidente dos derradeiros acontecimentos, sem os quais seria impossível fazer um relato completo e interessante.

Vejamos, pois, como chegaram ao meu conhecimento esses pormenores. No dia 12 de março de 1847 vi na rua Laffite um grande cartaz amarelo anunciando a venda, em leilão, de móveis e objetos de luxo. Tratava-se de um espólio. O cartaz não revelava o nome do morto, mas o leilão dos bens deveria realizar-se na rua Antin n.º 9, no dia 16, das doze às dezessete horas.

Constava também, do cartaz, a permissão de examinar o apartamento e os móveis nos dias 13 e 14, aos que o desejassem.

Sempre gostei dessas coisas. Prometi a mim mesmo não perder a ocasião para comprar alguma coisa ou pelo menos para apreciar.

No dia seguinte compareci à rua Antin n.º 9.

Era cedo, mas mesmo assim já havia no apartamento visitantes masculinos e femininos. As senhoras, embora vestidas de veludo, cobertas de xales de caxemira e com suas elegantes carruagens esperando à porta, examinavam com espanto e mesmo com admiração o luxo que se apresentava ante seus olhos.

Mais tarde entendi o motivo do espanto e da admiração, pois ao fazer também o meu exame da decoração compreendi logo estar dentro de um ninho de amor. Ora, se há algo que as senhoras elegantes queiram ver — e havia senhoras elegantes presentes — é o interior da residência de uma dessas mulheres cujos vestuários humilham os seus a cada dia, que têm camarote ao lado delas, na Ópera e nos Italianos, e que exibem em Paris a opulência insolente de sua beleza, de suas joias e de seus escândalos.

A dona da casa morrera. As mulheres mais virtuosas podiam, portanto, entrar no seu quarto. A morte purificara o ar desse esplêndido refúgio do pecado e, além disso, elas tinham a desculpa, em caso de necessidade, de terem vindo ao leilão sem saberem de quem se tratava. Haviam lido os anúncios, queriam ver o que neles se declarava e fazer adiantadamente a sua escolha. Nada mais simples, o que não as impedia, entretanto, de procurar em meio a todas aquelas maravilhas os indícios da vida de cortesã que conheciam, sem dúvida, através de histórias extraordinárias.

Infelizmente os mistérios haviam sucumbido com a deusa e, apesar de toda a sua atenção, as senhoras conseguiram ver apenas o que estava à venda após a morte da proprietária. Do que se vendia antes, nada.

Contudo, havia realmente o que comprar. Móveis de pau-rosa, móveis incrustados, jarros de Sèvres, de porcelana chinesa, estatuetas de Saxe, cetim, veludos, rendas; nada faltava.

Passei pelo apartamento acompanhando as nobres curiosas que me precediam. Entraram num aposento guarnecido de tecidos da Pérsia, mas quando me decidi a segui-las apareceram de volta sorrindo e parecendo encabuladas por causa dessa última curiosidade. Fiquei intrigado e entrei. Era o toucador, completo até os menores detalhes, nos quais parecia ter-se desenvolvido ao mais alto grau a prodigalidade da morta.

Sobre uma grande mesa, de um metro por dois, encostada à parede, brilhavam todos os tesouros de Aucoc e Odiot. Era uma coleção magnífica e nenhum desses objetos, tão necessários à apresentação de uma mulher como aquela, era de outro metal que não ouro ou prata. E no entanto tal coleção não poderia ter sido feita senão aos poucos, de modo que mais de um amor devia ter contribuído para completá-la.

Eu, que não me aborrecia com a visão do toucador de uma cortesã, diverti-me examinando os mínimos pormenores e verifiquei que esses objetos magnificamente cinzelados traziam diferentes monogramas e diversas coroas de nobreza.

Eu olhava todas aquelas coisas. Cada uma representava uma prostituição da pobre moça e refleti que Deus fora clemente para com ela, pois não a deixara sofrer o castigo mais comum e lhe permitira morrer com todo o seu luxo e sua beleza, antes da velhice, esta primeira morte das cortesãs.

Na verdade, o que pode haver de mais triste do que a velhice do vício, principalmente no caso de uma mulher? Não lhe resta dignidade alguma, nem inspira mais interesse. Esse remorso eterno, não pelo mau caminho escolhido, mas pelos cálculos malfeitos, pelo dinheiro mal empregado, é uma das coisas mais tristes de que se possa ter notícia. Conheci uma antiga mundana cuja vida se passara desse modo e que nada mais possuía dos seus velhos tempos a não ser uma filha quase tão bela quanto o havia sido a mãe, no dizer dos seus contemporâneos. Essa pobre moça, a quem a velha jamais dissera: "És minha filha" a não ser para lhe ordenar que sustentasse a sua velhice da mesma maneira como a havia sustentado na infância, essa pobrezinha chamava-se Louise e, obediente à mãe, entregava-se sem desejo, sem paixão, sem prazer, como faria no exercício de uma profissão, se tivesse ocorrido a alguém ensinar-lhe uma.

A vida contínua de excessos precoces, alimentada pelo estado sempre doentio dessa moça, havia apagado nela a noção do bem e do mal, que Deus talvez lhe tivesse dado mas que ninguém tivera a lembrança de desenvolver.

Lembrar-me-ei sempre dessa mocinha, que passava pelas avenidas quase todos os dias, às mesmas horas. A mãe acompanhava-a com tanta assiduidade quanto uma verdadeira mãe teria acompanhado a filha de verdade. Eu era jovem, então, e pronto a adotar a moral do meu século. Lembro-me, no entanto, de que a vista dessa escandalosa vigilância causava desprezo e revolta.

Acrescente-se a isso que jamais um rosto de virgem exprimiu tanta inocência, tão forte expressão de sofrimento melancólico.

Dir-se-ia a estátua da resignação.

Um dia, o rosto dessa menina iluminou-se. Em meio aos desregramentos, cujo programa era controlado pela mãe, pareceu à pecadora que Deus lhe concedera uma felicidade. E por que motivo, afinal, Deus, que a fizera fraca, iria deixá-la sem consolo sob o peso doloroso de sua vida? Um dia, pois, ela percebeu que estava grávida e o que nela ainda restava de mulher casta vibrou de alegria. A alma possui estranhos refúgios. Louise apressou-se em comunicar à mãe essa boa-nova, que a fazia tão feliz. É vergonhoso contar, embora não exibamos aqui a imoralidade por prazer e estejamos revelando um fato verdadeiro, que talvez fosse melhor calar, por acreditarmos necessário desvendar de quando em vez os martírios desses seres que são condenados sem justificação, que são desprezados sem julgamento. É vergonhoso, dizíamos, mas a mãe respondeu que o que possuíam já não era suficiente para dois; quanto mais para três. Que crianças assim são inúteis e que uma gravidez é tempo perdido.

No dia seguinte, uma parteira, que apresentaremos apenas como amiga da velha, foi visitar Louise, que passou uns dias de cama e se levantou mais pálida e fraca do que nunca.

Três meses mais tarde um homem apiedou-se dela e assumiu o encargo de curá-la moral e fisicamente. Mas o derradeiro abalo fora demasiadamente forte e Louise morreu das consequências da violência cometida.

A mãe ainda vive. Como? Só Deus o sabe.

Esse episódio me veio à lembrança enquanto eu contemplava os frascos de prata e, pelo visto, o tempo correu despercebido durante o meu devaneio, porque já não se viam visitantes no apartamento e o vigia, postado junto à porta, observava-me cuidadosamente para que nada roubasse.

Aproximei-me desse zeloso empregado, a quem causava tantos receios.

— Poderia dizer-me o nome da pessoa que morava aqui? — pedi.

— A srta. Marguerite Gautier.

Já a conhecia de nome e de vista.

— Mas como? — disse eu ao guardião. — Marguerite Gautier, morta?

— Sim, senhor.

— E quando foi isso?

— Há três semanas, creio.

— E por que deixaram o apartamento aberto a visitas?

— Os credores acharam que isso facilitaria o leilão. Pode-se estudar antes o efeito que vão fazer os estofos e os móveis. O senhor compreende, isso encoraja os compradores.

— Então ela deixou dívidas?
— Oh, senhor! Muitas!
— Mas sem dúvida o leilão as cobrirá todas?
— E mais, até.
— Então a quem caberá o restante?
— À família.
— E ela tem família?
— Assim parece.
— Muito obrigado.

O vigia, com suas suspeitas aliviadas, cumprimentou e eu saí.

— Pobre moça! — pensei ao chegar à minha casa. — Deve ter tido uma morte triste, pois no seu mundo não se têm amigos a não ser quando se está bem. — E apesar de tudo eu lastimava a sorte de Marguerite Gautier.

Talvez pareça ridículo à maioria das pessoas, mas tenho irreprimível indulgência pelas cortesãs e não me dou sequer ao trabalho de discutir esse sentimento.

Um dia, a caminho da prefeitura para apanhar um documento, vi numa rua próxima uma moça, escoltada por dois gendarmes. Não sei qual seria a sua culpa; tudo o que posso dizer é que chorava desesperadamente, beijando uma criança de meses, de quem a prisão a separaria. Desse dia em diante jamais desprezei uma mulher à primeira vista.

Capítulo II

O leilão era no dia 16.

Um dia de intervalo fora reservado entre a exposição e o leilão, a fim de permitir aos operários despregar as tapeçarias, cortinas etc.

Nessa ocasião eu chegava de viagem. Nada mais natural do que não ter sabido da morte de Marguerite no meio dessas grandes novidades que os amigos contam sempre a quem chega de volta à capital das novidades. Marguerite era bela, mas quanto maior a sensação que faz a vida rebuscada dessas mulheres, tanto menor é a causada por sua morte. São como sóis que se põem como nasceram, sem brilho. Sua morte, quando elas morrem jovens, é sabida por todos os amantes ao mesmo tempo, pois em Paris quase todos os amantes de uma mulher continuam a conviver amistosamente. Algumas recordações são citadas a seu respeito e a vida de uns e de outros continua sem que o incidente a perturbe, ao menos com uma lágrima.

Hoje, quando se chega aos vinte e cinco anos, as lágrimas se tornam uma coisa tão rara que não podem ser desperdiçadas com qualquer uma. Ainda mais que os parentes, que pagam para isto, são chorados de acordo com o preço pago.

Quanto a mim, embora meu monograma não estivesse em objeto algum da mesa de Marguerite, essa indulgência instintiva, essa piedade natural que acabo de confessar faziam-me pensar em sua morte durante mais tempo do que ela merecia preocupar-me.

Lembrava-me ainda de tê-la encontrado frequentemente nos Campos Elísios, onde ela ia assiduamente, num pequeno *coupé* azul, puxado por dois baios magníficos. Notava nela uma distinção pouco comum entre as suas iguais, distinção que realçava ainda mais uma beleza verdadeiramente excepcional.

Essas infelizes, quando saem, levam sempre uma companhia que ninguém conhece.

Como homem algum aceitaria exibir publicamente o amor noturno que o liga a elas e como têm elas o horror da solidão, trazem ao seu lado as menos felizes, que não dispõem de carruagem, ou então uma dessas velhas elegantes cuja renda é um mistério e de quem é possível aproximar-se sem receios quando se quer qualquer informação sobre a mulher que acompanham.

Isso não se dava com Marguerite. Chegava sempre só aos Campos Elísios no seu *coupé*, procurando atrair um mínimo de atenção, no inverno, enrolada num grande xale de lã e vestida com toda a simplicidade no verão. E, ainda que em seu passeio favorito houvesse muitas pessoas conhecidas, quando por acaso lhes dava um sorriso este era visível apenas para eles. Uma duquesa sorriria do mesmo modo.

Não passeava do círculo até a entrada dos Campos Elísios, como o faziam e fazem suas companheiras. Seus dois cavalos levavam-na rapidamente ao bosque. Lá, descia do veículo, caminhava durante uma hora, tornava a subir e voltava, com os animais a trote largo.

Todas essas circunstâncias, de que eu fora algumas vezes testemunha, me passavam pela memória e eu lamentava a morte dessa moça como se lamenta a total destruição de uma obra de arte.

Era mesmo impossível encontrar uma beleza mais encantadora do que a de Marguerite.

Alta e esguia, até o exagero, tinha no mais alto grau a arte de fazer desaparecer esse esquecimento da natureza com simples arranjos do vestuário. Seu xale, cujas pontas tocavam o solo, deixava escapar de cada lado as dobras largas de um vestido de seda e o espesso regalo de pele, que lhe cobria as mãos e que ela mantinha contra o seio, tinha pregas tão graciosas que o crítico mais exigente nada teria a objetar quanto ao contorno das linhas.

A cabeça maravilhosa era objeto de cuidados particulares. Era pequena e, como diria Musset, sua mãe devia tê-la feito assim para poder caprichar mais.

Num oval de graça indescritível acrescentai olhos negros sob um arco tão puro de sobrancelhas que parecia artificial. Escurecei esses olhos com grandes cílios que, ao se baixarem, façam sombra sobre a cor rosada das faces. Traçai um nariz fino, reto, espiritual, com as narinas um pouco abertas por uma ardente aspiração para a vida sensual. Desenhai uma boca regular, cujos lábios se abram graciosamente sobre dentes brancos como leite. Daí à pele o colorido desse veludo dos pêssegos que ainda não foram tocados por mão alguma. Tereis assim o conjunto dessa fisionomia encantadora.

Os cabelos, negros como o azeviche, ondulados naturalmente ou não, abriam-se sobre a fronte em dois grandes bandós e perdiam-se atrás da cabeça deixando ver a ponta das orelhas onde brilhavam dois diamantes do valor de quatro a cinco mil francos cada um.

Como sua vida intensa deixava ainda na fisionomia de Marguerite uma expressão virginal, mesmo infantil, que a caracterizava, é algo que somos forçados a observar sem compreender.

Marguerite possuía um retrato maravilhoso, feito por Vidal, o único cujo carvão poderia reproduzi-la. Após sua morte tive esse retrato comigo durante alguns dias. É de uma semelhança tão impressionante que me serviu para alguns pormenores que a memória sozinha não podia fornecer.

Entre as minúcias deste capítulo há algumas que só mais tarde me chegaram ao conhecimento, mas que apresento agora para não ter de voltar atrás quando entrar na história da vida dessa mulher.

Marguerite assistia a todas as primeiras apresentações e passava todas as noites no teatro ou no baile. Cada vez que havia uma estreia podia-se estar certo de vê-la, com três coisas que jamais a abandonavam e que ocupavam sempre o parapeito do seu camarote ao nível da plateia: sua "lorgnette", um saco de bombons e um ramo de camélias.

Durante vinte e cinco dias do mês as camélias eram brancas e durante cinco, rubras. Jamais se soube o motivo dessa variedade de cores, que menciono sem explicar e que os frequentadores habituais dos teatros preferidos por ela, assim como os seus amigos, haviam notado do mesmo modo que eu.

Jamais se viram com Marguerite outras flores que não camélias, de modo que na loja de madame Marjon, sua florista, acabaram por chamá-la a Dama das Camélias, e o apelido lhe ficou.

Eu sabia, também, como todos os que frequentam determinado círculo de Paris, que Marguerite fora a amante dos rapazes mais elegantes, que ela o declarava altivamente e que eles mesmos disso se vangloriavam, o que prova que eles e ela estavam mutuamente satisfeitos.

No entanto, há cerca de uns três anos, após uma viagem a Bagnères, disseram que ela havia passado a viver somente para um velho duque estrangeiro, enormemente rico e que tentara afastá-la o mais possível da vida anterior, o que, pelo visto, ela havia aceitado sem dificuldade.

Eis o que me contaram a respeito.

Na primavera de 1842, Marguerite estava tão fraca, tão abatida, que os médicos lhe ordenaram uma estação de águas e ela partiu para Bagnères.

Lá, entre os doentes, se encontrava a filha desse duque, que não somente sofria da mesma moléstia mas era muito parecida com Marguerite, a ponto de poderem ser tomadas como irmãs. Mas a jovem duquesa estava já no último grau da tuberculose e, poucos dias após Marguerite chegar, morreu.

Certo dia pela manhã, o duque, que ficara em Bagnères como se fica sobre o solo que recobre uma parte do coração, avistou Marguerite na curva de uma alameda.

Pareceu-lhe ver passar a sombra da filha e, dirigindo-se a ela, tomou-lhe as mãos, beijou-a chorando e sem indagar quem era implorou-lhe permissão para visitá-la e adorar nela a imagem da filha morta.

Marguerite, que estava em Bagnères acompanhada apenas da criada de quarto e não tinha por que recear ficar comprometida, concedeu ao duque o que pedira.

Havia pessoas em Bagnères que a conheciam e foram comunicar oficialmente ao duque a verdadeira situação da srta. Gautier. Foi um choque para o ancião, pois aí terminava a semelhança com a filha, mas já era tarde. A jovem tornara-se uma necessidade para o seu coração e seu único pretexto, sua única desculpa para viver.

Não lhe fez o menor reparo, nem tinha esse direito. Perguntou apenas se ela se sentia capaz de mudar de vida, oferecendo-lhe em troca desse sacrifício todas as compensações que ela pudesse desejar. Ela prometeu.

É preciso notar que, nessa época, Marguerite, de natureza entusiasta, estava doente. O passado aparecia-lhe como uma das principais causas da moléstia e uma espécie de superstição lhe fazia crer que Deus lhe deixaria a beleza e a saúde em troca do arrependimento e da conversão.

Com efeito, as águas, os passeios, a fadiga natural e o sono regrado pouco a pouco foram-na restabelecendo, pelo fim do verão.

O duque acompanhou-a de volta a Paris e continuou a visitá-la como em Bagnères.

Essa ligação, cuja verdadeira origem e motivo real ninguém conhecia, causou enorme sensação aqui, pois o duque, famoso pela sua grande riqueza, passou a sê-lo pela sua prodigalidade.

Atribuía-se à libertinagem, frequente entre os velhos ricos, essa aproximação do velho duque com a jovem. Faziam-se todas as suposições, menos a verdadeira.

E no entanto, o sentimento que esse pai tinha por Marguerite provinha de um motivo tão casto que qualquer relação com ela além das relações do coração lhe parecia um incesto. Jamais ele lhe disse uma palavra que sua filha não pudesse ouvir.

Longe de nós a ideia de fazer de nossa heroína outra coisa do que ela realmente era. Diremos, por isso, que enquanto ela estivera em Bagnères a promessa feita ao duque foi fácil de cumprir. Mas em Paris pareceu a essa mulher, habituada à vida de dissipações, aos bailes e mesmo às orgias, que a solidão quebrada apenas pelas visitas periódicas do duque a faria morrer de tédio, ao mesmo tempo que o sopro impetuoso da vida anterior lhe passava às vezes pela cabeça e pelo coração.

Além disso, Marguerite voltara da viagem mais bela do que nunca, tinha vinte anos de idade e a moléstia adormecida mas não derrotada continuava a provocar-lhe esses desejos febris que são quase sempre o produto das afecções pulmonares.

O duque sofreu, portanto, uma grande dor quando os amigos, sempre à espreita para surpreender uma falta da jovem que diziam comprometê-lo, correram a lhe dizer e provar que assim que ela estava certa de que ele não viria, recebia visitas e que essas visitas se prolongavam até o dia seguinte.

Ao ser interrogada, Marguerite confessou tudo ao duque, pedindo-lhe, sem segundas intenções, que deixasse de se preocupar com ela pois não tinha forças para manter os compromissos assumidos e não queria mais receber os favores de um homem a quem iludia.

O duque levou oito dias sem aparecer. Foi o máximo de que foi capaz. No oitavo dia veio a Marguerite suplicar que o recebesse novamente, prometendo que a aceitaria tal qual era, desde que a pudesse visitar e jurando pela própria vida jamais lhe fazer uma censura.

Eis aí em que pé estavam as coisas três meses após a volta de Marguerite, ou seja em novembro ou dezembro de 1842.

Capítulo III

No dia dezesseis, à uma hora da tarde, compareci à rua Antin.
 Da porta já se ouviam os pregões dos leiloeiros.
 O apartamento estava cheio de curiosos. Lá estavam todas as celebridades do vício elegante, olhadas com desdém por algumas senhoras da sociedade, que, mais uma vez, aproveitavam o pretexto do leilão para ter o direito de ver de perto as mulheres com quem jamais teriam ocasião de se encontrarem, e a quem talvez invejassem os prazeres fáceis.
 A sra. duquesa de F. acotovelava a srta. A., um dos mais tristes exemplos de nossas cortesãs modernas. A sra. marquesa de T. hesitava em disputar um móvel pelo qual a sra. D., a adúltera mais elegante e mais conhecida de nossos tempos, fizera um lance. O duque de Y., que tem fama em Madri de arruinar-se em Paris e fama em Paris de arruinar-se em Madri e que, afinal de contas, não chega sequer a gastar seus rendimentos, conversava animadamente com a sra. M., uma de nossas mais espirituosas narradoras que de quando em vez resolve escrever o que conta e assinar o que escreve, e trocava olhares discretos com a senhora de N., essa bela frequentadora

dos Campos Elísios, quase sempre vestida de rosa ou de azul e que faz sempre puxar a sua caleça por dois grandes cavalos negros que Tony lhe vendeu por dez mil francos e... que ela pagou. Também a srta. R., que com o seu talento único faz duas vezes mais do que as senhoras da sociedade com os seus dotes e três vezes mais que as outras com os seus amores, havia comparecido, apesar do frio, para fazer algumas compras e não passava despercebida.

Poderíamos citar ainda as iniciais de muita gente presente a esse salão e admirada de se ver reunida, mas seria talvez cansativo.

Digamos apenas que havia uma alegria tonta e que, dentre todas as que lá estavam, muitas conheciam já a morta e pareciam não se lembrar disso.

Havia muito riso. Os leiloeiros gritavam com toda a força; os comerciantes que haviam tomado os bancos dispostos ante as mesas de exposição tentavam em vão impor silêncio para poderem realizar suas transações à vontade. Jamais houvera reunião tão variada, tão barulhenta.

Eu me esgueirava humildemente por entre o tumulto entristecedor, quando me pareceu haver lugar perto do quarto onde morrera a pobre criatura cujos móveis estavam sendo vendidos para pagar as dívidas. Tendo comparecido mais para apreciar do que para comprar, eu observava as figuras dos fornecedores que tinham feito realizar a venda e cujas feições se alteravam cada vez que um objeto atingia um preço inesperado.

Homens honestos, que haviam especulado sobre a prostituição dessa mulher, que haviam lucrado cem por cento com ela, que haviam encerrado os últimos momentos de sua vida com papéis timbrados e que vinham após sua morte, colher os frutos dos seus honrados cálculos, ao mesmo tempo que os juros do seu vergonhoso crédito.

Como estavam certos os antigos que só tinham um deus para os negociantes e os ladrões!

Vestidos, xales, enfeites vendiam-se com incrível rapidez. Nada daquilo me interessava e fiquei à espera.

Subitamente ouvi o pregão:

— Um volume perfeitamente encadernado, dourado a fogo, intitulado: *Manon Lescaut*. Há qualquer coisa escrita na primeira página. Dez francos.

— Doze — disse uma voz, depois de longo silêncio.

— Quinze — disse eu.

Por quê? Não sabia. Sem dúvida por causa dessa qualquer coisa escrita.

— Quinze — repetiu o leiloeiro.

— Trinta! — fez o autor do primeiro lance num tom de voz que indicava a segurança de ser essa a última palavra.

Aquilo se transformaria numa disputa.

— Trinta e cinco! — bradei no mesmo tom.

— Quarenta.

— Cinquenta.

— Sessenta.

— Cem.

Confesso que se meu desejo fosse causar sensação estaria satisfeito, pois a esse lance um grande silêncio se fez e todos me olharam para ver quem era esse senhor que parecia de tal modo resolvido a possuir o volume.

Ao que parece meu tom de voz convenceu o antagonista. Preferiu, portanto, abandonar uma disputa que só serviria para me fazer pagar dez vezes o valor do livro e, inclinando-se, disse com toda a gentileza, embora um pouco tardiamente:

— Cedo ao senhor.

Ninguém mais se tendo pronunciado, o livro foi arrematado por mim.

Como temia um novo entusiasmo que o meu amor-próprio talvez sustentasse, mas que minha bolsa provavelmente iria sentir, dei o nome, mandei separar o objeto e saí. Devo ter provocado bastante a curiosidade dos presentes, testemunhas dessa cena, que ficaram na certa imaginando por que eu teria pago cem francos por um livro que encontraria por dez ou quinze em qualquer lugar.

Uma hora mais tarde já eu tinha mandado buscar o volume.

Na primeira página, em letra bem proporcionada, estava a dedicatória do ofertante. Constava apenas das seguintes palavras:

Manon a Marguerite
Humildade
Armand Duval

Que significaria essa palavra "Humildade"?

Será que Manon reconhecia em Marguerite, na opinião desse Duval, uma superioridade de desregramento ou de coração?

A segunda interpretação era a mais provável, pois a primeira não representaria mais do que uma impertinente franqueza que Marguerite não haveria de tolerar, qualquer que fosse a sua opinião a respeito de si mesma.

Tornei a sair e não me preocupei mais com o livro até a hora de deitar-me.

Sem dúvida, *Manon Lescaut* é uma comovente história que não tem um único pormenor que eu desconheça e no entanto, quando me vejo com esse livro, sou sempre dominado pela atração que me provoca e o abro e pela centésima vez torno a viver juntamente com a heroína do abade Prévost. Essa heroína tão real que me parece havê-la conhecido. Nestas novas circunstâncias, a espécie de comparação feita entre ela e Marguerite dava novo atrativo à minha leitura e minha indulgência passou a ser piedade, quase amor, por essa pobre mulher a cuja herança eu devia o meu volume. Manon morrera no deserto, é verdade, mas nos braços do homem a quem amava de todo o coração e que, ao vê-la morta, cavou-lhe uma sepultura, regou-a de lágrimas e ali deixou o coração. No entanto Marguerite, pecadora como Manon e talvez do mesmo modo que ela convertida, morreu no seio de um luxo suntuoso a acreditar no que vi, no leito do seu passado, mas também no seio desse deserto do coração que é bem mais vasto, bem mais impiedoso do que aquele em que foi enterrada Manon.

Com efeito, como soube por amigos bem informados sobre as últimas circunstâncias de sua vida, Marguerite não viu à cabeceira uma única consolação verdadeira, durante os dois meses que durou sua lenta e dolorosa agonia.

Pois de Manon e Marguerite meu pensamento passou àquelas que eu conhecia e que via encaminharem-se, cantando, para uma morte quase sempre invariável.

Pobres criaturas! Se é errado amá-las, pelo menos tenhamos piedade delas. Lamentais o cego que jamais viu os raios do sol, o surdo que jamais ouviu os acordes da natureza, o mudo que jamais pôde externar a voz de sua alma e, por um falso pudor, não quereis lastimar essa cegueira do coração, essa surdez da alma, esse mutismo da consciência que aturdem a infeliz sofredora e a tornam involuntariamente incapaz de ver o bem, de ouvir o Senhor e de falar a língua pura do amor e da fé.

Hugo produziu "Marion Delorme", Musset criou "Bernerette", Alexandre Dumas escreveu "Fernande", pensadores e poetas de todos os tempos trouxeram à cortesã a oferenda de sua misericórdia e algumas vezes algum grande homem lhes trouxe a reabilitação de seu amor e mesmo de seu nome. Se insisto de tal modo nesse ponto é porque entre os que me vão ler muitos estão já prestes a abandonar este livro, no qual temem não encontrar mais do que uma apologia do vício e da prostituição e a idade do autor contribui, sem dúvida, para criar esse temor. Que os que assim julgam se desiludam e continuem, se apenas essa dúvida os impedia.

Estou convencido apenas de um princípio: à mulher cuja educação não ensinou o caminho do bem, Deus abre quase sempre dois caminhos para lá chegar, a dor e o amor. São ambos árduos. Aquelas que por eles trilham ensanguentam os pés, ferem as mãos, mas ao mesmo tempo deixam pelos espinhos do caminho os paramentos do vício e chegam ao destino com aquela nudez que não envergonha, mesmo ante o Senhor.

Os que encontrarem essas corajosas viajantes devem apoiá-las e dizer a todos o que encontraram, pois ao fazer assim mostram como proceder.

Não se trata, simplesmente, de fixar à entrada da vida dois postes indicadores, um com o letreiro *Estrada do Bem* e o outro *Estrada do Mal* e dizer aos que se apresentarem: escolhei. É preciso mostrar, como Cristo, os caminhos que levam da segunda estrada à primeira aos que se deixaram tentar na entrada. E principalmente é preciso que o início desses caminhos não seja por demais árduo nem pareça impenetrável.

Há no cristianismo a admirável parábola do filho pródigo que nos aconselha à indulgência e ao perdão. Jesus tinha muito amor por essas almas feridas pela paixão dos homens, cujos sofrimentos Ele preferia cuidar, usando o bálsamo tirado da própria doença. Assim, dizia Ele a Madalena: "Muito te será perdoado porque muito amaste", um perdão sublime que deveria provocar uma fé sublime.

Por que haveríamos de ser mais rigorosos do que Cristo? Por que, atendo-nos obstinadamente às opiniões deste mundo que se finge de duro para parecer forte, rejeitaríamos, juntamente com Ele, almas frequentemente sangrando ainda de ferimentos por onde, como acontece com o mau sangue dos doentes, se esvai o mal do passado, que nada mais necessitam que da mão amiga que as cure e as conduza à convalescença do coração?

É à minha geração que me dirijo. Àqueles para quem as teorias do sr. Voltaire não existem mais, àqueles que como eu compreendem que a humanidade sofreu nos últimos quinze anos um dos seus mais audaciosos impulsos. A ciência do bem e do mal foi afinal atingida, a fé se reconstrói, o respeito às coisas santas foi-nos transmitido e se o mundo não se tornou bom de todo, tornou-se pelo menos melhor. Os esforços de todos os homens inteligentes dirigem-se ao mesmo fim e todas as grandes decisões seguem os mesmos princípios: sejamos bons, sejamos jovens, sejamos verdadeiros! O mal nada é senão uma vaidade; tenhamos orgulho do bem e, acima de tudo, não desesperemos. Não desprezemos a mulher que não é mãe, nem irmã, nem filha, nem esposa. Não limitemos a estima à família, a indulgência ao egoísmo. Já que o céu sente maior alegria pelo arrependimento de um pecador do que por cem justos que jamais pecaram, tentemos alegrar o céu. Ele nos pode pagar com juros. Espalhemos por nosso caminho a esmola de nosso perdão àqueles a quem os desejos terrestres perderam, esmola que salvará talvez uma esperança divina e, como dizem as bondosas velhinhas quando aconselham um remédio caseiro, se isso não fizer bem, pelo menos mal não fará.

    Sem dúvida alguma parecerá muito difícil obter tão grandes resultados do frágil assunto que abordei, mas sou dos que acreditam que o todo está contido dentro da parte. A criança é pequena e dentro dela está o homem. O cérebro é acanhado e abriga o pensamento. O olho nada mais é do que um ponto e no entanto alcança léguas.

Capítulo IV

Em dois dias o leilão estava terminado. Rendeu cento e cinquenta mil francos.

Os credores ficaram com dois terços e a família, composta de uma irmã e um sobrinho, herdou o resto.

Essa irmã arregalou os olhos quando o executor lhe escreveu dizendo que ela herdara cinquenta mil francos.

Fazia já seis ou sete anos que essa moça não via a irmã, desaparecida um dia, sem que se soubesse, nem por ela nem por outras, a menor particularidade de sua vida daí por diante.

Chegou ela pois, às pressas, a Paris e o espanto dos que conheciam Marguerite foi enorme ao verem que sua única herdeira era uma camponesa gorda e bonita, que jamais se afastara da cidadezinha natal.

A fortuna chegou-lhe de golpe, sem que soubesse sequer de que origem lhe vinha essa riqueza inesperada.

Voltou para o seu campo, como vim a saber, levando da morte da irmã uma grande tristeza compensada pelo investimento a quatro e meio por cento que acabara de fazer.

Todos esses acontecimentos, comuns em Paris, a cidade-mãe dos escândalos, começavam a cair no esquecimento. Eu quase não me lembrava mais da minha parte nos acontecimentos, quando novo incidente me fez conhecer toda a vida de Marguerite e me revelou passagens tão comoventes que senti necessidade de escrever esta história, o que fiz.

Após três ou quatro dias o apartamento, já sem os móveis, estava anunciado para alugar, quando foram bater à minha porta.

Meu empregado, ou melhor, o porteiro que me servia de empregado foi atender e me trouxe um cartão, dizendo que o portador desejava falar-me.

Passei os olhos pelo cartão e li estas duas palavras: *Armand Duval.*

Procurei lembrar onde vira esse nome e recordei a primeira página do volume de *Manon Lescaut.*

Que poderia querer de mim o homem que ofertara o livro a Marguerite? Mandei introduzir imediatamente o visitante.

Vi então um jovem louro, alto e pálido, com uma roupa de viagem que devia estar em uso havia vários dias e dando a impressão de nem mesmo se ter lavado ao chegar a Paris, pois estava coberto de poeira.

O sr. Duval estava muito emocionado e não procurava ocultar isso. Foi com lágrimas nos olhos e voz trêmula que me falou:

— Peço-lhe que me perdoe a visita e os trajos. Como entre os jovens não há grandes cerimônias e eu fazia questão de falar-lhe ainda hoje, mandei levar as malas ao hotel e nem mesmo perdi tempo indo lá. Vim diretamente à sua casa com medo de não o encontrar, embora ainda seja cedo.

Convidei o sr. Duval a sentar-se junto ao fogo, o que fez, tirando do bolso um lenço com que escondeu por instantes o rosto.

— O senhor provavelmente não imagina — disse ele, com um suspiro — o que pode desejar este visitante desconhecido a tais horas, vestido de tal modo e chorando dessa maneira.

"Venho simplesmente, cavalheiro, pedir-lhe um grande favor."
— Pode dizer. Estou à sua disposição.
— O senhor assistiu ao leilão dos bens de Marguerite Gautier.

A essas palavras a emoção que o rapaz conseguira dominar por instantes foi mais forte do que ele e o fez levar as mãos aos olhos.

— Devo parecer-lhe ridículo — disse. — Perdoe-me mais isso e creia que jamais esquecerei a paciência com que me recebeu.

— Cavalheiro — respondi — se o favor que deseja de mim pode suavizar um pouco a dor que o aflige, diga sem demora o que posso fazer e terei enorme satisfação nisso.

A dor do sr. Duval atraía minha simpatia e eu faria tudo para lhe ser agradável.

— O senhor comprou um objeto no leilão de Marguerite?
— Sim, um livro.
— *Manon Lescaut*?
— Justamente.
— Está ainda em seu poder?
— Está no meu quarto.

Ao receber essa notícia, Armand Duval pareceu libertado de grande opressão e me agradeceu como se o fato de eu ter guardado o livro já fosse um favor.

Levantei-me em seguida e fui buscar o livro, que entreguei a ele.

— É este mesmo — disse, examinando a dedicatória e folheando a obra.

Duas grandes lágrimas tombaram entre as páginas.

— Pois bem — falou levantando a cabeça, sem sequer procurar esconder que havia chorado e que estava prestes a chorar novamente — o senhor tem apego a este livro?

— Por quê?
— Porque venho pedir-lhe que mo ceda.
— Perdoe-me a curiosidade — disse eu então. — Mas foi o senhor que o deu de presente a Marguerite?

— Eu mesmo.

— Esse livro lhe pertence, tome-o. Tenho satisfação em poder devolvê-lo.

— Mas — objetou o sr. Duval, embaraçado — pelo menos permita que lhe devolva o que pagou por ele.

— Prefiro fazer-lhe um presente. O preço de um único volume num leilão desses é uma bagatela e não me recordo mais da quantia.

— O senhor deu cem francos por ele.

— É verdade — respondi, embaraçado também. — Como sabe?

— É simples. Eu tencionava chegar a Paris a tempo de presenciar o leilão, mas só cheguei hoje pela manhã. Fazia questão de possuir um objeto que viesse dela e corri ao leiloeiro para obter sua permissão a fim de examinar a lista dos objetos vendidos e dos compradores. Vi que este livro fora comprado pelo senhor e resolvi pedir-lhe que o cedesse a mim, embora o preço pago me fizesse temer que o senhor atribuísse um valor sentimental à posse do volume.

Ao dizer isso, Armand deixava transparecer o temor de que eu tivesse chegado a conhecer Marguerite como ele.

Apressei-me a confortá-lo.

— Conheci de vista, apenas, a srta. Gautier — disse eu. — Sua morte produziu-me a impressão que todos os rapazes têm ante a morte de uma mulher bela que tiveram o prazer de ver. Quis comprar algo no leilão e resolvi disputar o livro, não sei por que motivo. Talvez para irritar um cavalheiro que resolvera fazer o mesmo e parecia desafiar-me. Repito, portanto, que o livro está à sua disposição e mais uma vez rogo-lhe que aceite o presente, que não o receba de mim como o recebi do leiloeiro, para que isso represente, entre nós, começo de um conhecimento mais longo e de relações mais íntimas.

— Pois bem — disse Armand, estendendo a mão para apertar a minha — aceito e lhe serei reconhecido pelo resto da vida.

Tive ímpetos de interrogar Armand a respeito de Marguerite, pois a dedicatória do livro, a viagem do rapaz e o seu desejo de possuir o volume excitavam minha curiosidade, mas receei dar a impressão de ter recusado o seu dinheiro para poder intrometer-me em seus assuntos pessoais.

Dir-se-ia que ele adivinhava meu desejo, pois perguntou:

— O senhor já leu este volume?

— Já. Li-o todo.

— Que achou das linhas que escrevi?

— Compreendi logo que a seus olhos a pobre mulher, a quem o senhor ofereceu o livro, não pertencia à categoria comum, pois eu não podia entender suas palavras como sendo um elogio banal.

— Tem toda a razão, senhor. Essa mulher era um anjo. Veja — disse ele — leia esta carta.

Estendeu-me um papel que parecia ter sido muitas vezes relido. Abri-o e li o seguinte:

Meu caro Armand, recebi tua carta, estás bem e dou graças a Deus por isso. Sim, meu amigo, estou doente de uma dessas moléstias que não perdoam, mas o interesse que ainda demonstras por mim suaviza bastante o meu sofrimento. Não viverei, sem dúvida, o tempo suficiente para ter a felicidade de apertar a mão que escreve essa generosa carta que acabo de receber e cujas palavras me curariam, se algo houvesse capaz de me curar. Não te verei mais porque estou perto do fim e centenas de léguas separam-te de mim. Pobre amigo! Tua Marguerite de outros tempos mudou muito e é talvez melhor que não a vejas mais do que conheceres seu estado atual. Perguntas se te perdoo. Oh, de todo o coração, amigo, pois o mal que me querias fazer nada mais era do que uma prova do amor que me tinhas! Estou de cama há um mês e tenho tanto apreço pela tua estima que comecei a escrever a história de minha vida, diariamente, depois que nos separamos até o momento em que não tiver mais forças para escrever.

Se o interesse que demonstras por mim, Armand, é verdadeiro, passa pela casa de Julie Duprat quando voltares. Ela te entregará o diário.

Encontrarás ali o motivo e a desculpa do que se passou entre nós. Julie é muito boa para mim. Conversamos frequentemente a teu respeito. Ela estava comigo quando chegou tua carta e choramos juntas ao lê-la.

Caso não me tivesses escrito, ela estava encarregada de te enviar estes papéis quando voltasses à França. Não me fiques agradecido. Essa volta cotidiana aos únicos momentos felizes de minha vida faz-me um bem enorme e se tu deves encontrar, nessa leitura, a desculpa do passado, nela encontro, eu, um contínuo alívio.

Desejaria deixar-te algo que te lembrasse sempre de mim, mas está tudo embargado dentro do meu apartamento; nada me pertence.

Compreendes, meu amigo? Vou morrer e do meu quarto ouço caminhar, pela sala, o guardião que meus credores ali deixaram para que nada seja levado e para que nada me reste, no caso de não morrer. Devo manter a esperança de que não haverá leilão antes do fim.

Oh, como são impiedosos os homens! Ou melhor, estava enganada: Deus é que é justo e inflexível.

Pois bem, meu amado, vem ao meu leilão e compra qualquer coisa, pois se eu separasse algum objeto para ti e eles soubessem disso, seriam capazes de te acusar de desvio de objetos embargados.

Triste vida, esta que abandono!

Como Deus seria bom se me permitisse rever-te antes de morrer! Na certa isto é o adeus, meu amigo. Perdoa-me se não te digo mais nada, mas os que dizem que me vão curar me arrasam com sangrias, e minha mão se recusa a escrever mais.

Marguerite Gautier

Na verdade, as últimas palavras eram quase ilegíveis.

Devolvi a Armand a carta que sem dúvida ele havia relido mentalmente enquanto eu a lia no papel, pois disse ao recebê-la:

— Quem diria que isso foi escrito por uma mundana! — E emocionado com as recordações ficou algum tempo olhando a carta, que acabou levando aos lábios. — Quando penso — continuou ele — que ela morreu sem que eu pudesse revê-la e que não mais a verei... Quando lembro que ela fez por mim o que uma irmã não faria, não me posso perdoar por tê-la deixado morrer assim. Morta! Morta! Pensando em mim, escrevendo e dizendo o meu nome, pobre querida Marguerite!

E Armand, dando livre curso às ideias e às lágrimas, estendeu-me a mão, continuando:

— Quem me visse lamentar assim essa morte acharia isso infantil. É que ninguém pode imaginar como fiz essa mulher sofrer, como fui cruel e quanto ela foi resignada e bondosa. Pensei que me cabia perdoar-lhe e hoje me considero indigno do perdão que ela me concedeu. Oh, eu daria dez anos de vida para poder chorar aos seus pés!

É sempre difícil consolar-se uma dor que não se conhece; no entanto senti tanta pena desse rapaz que me fazia, com tamanha franqueza, o confidente de seu sofrimento, que julguei não lhe serem talvez indiferentes as minhas palavras, e sugeri:

— O senhor não tem parentes ou amigos? Espere um pouco, converse com eles e o consolarão; eu não posso senão oferecer minha simpatia.

— Tem razão — respondeu, levantando-se e começando a andar pelo aposento em grandes passadas — eu o importuno. Perdoe-me, não me lembrei que minha dor pouco interesse tem para o senhor e que o estou maçando com algo que não pode nem deve importar-lhe.

— O senhor me entendeu mal; estou às suas ordens. Apenas lamento minha incapacidade para abrandar o seu padecimento. Se minha companhia e a de meus amigos puder distrair o seu espírito, enfim, se precisar de mim seja para o que for, quero que esteja certo do prazer que terei em lhe ser útil.

— Perdoe, perdoe — disse ele. — A dor exagera as sensações. Permita-me ficar alguns minutos, o tempo de secar os olhos para que os moleques da rua não olhem com curiosidade esse menino grande chorando. O senhor me fez feliz ao ceder-me esse livro. Não sei como agradecer o que lhe devo.

— Dando-me um pouco de sua amizade — respondi — e revelando-me o motivo de sua dor. Serve de consolo falar daquilo que nos magoa.

— Tem razão. Mas hoje a necessidade de chorar é muito grande e eu iria dizer apenas coisa sem nexo. Um dia hei de contar-lhe toda a história e o senhor verá como tenho razão de lamentar essa pobre mulher. Por enquanto — disse ele, esfregando mais uma vez os olhos e mirando-se no espelho — assegure-me de que não me achou muito ingênuo e dê-me sua permissão para tornar a procurá-lo.

O olhar do rapaz era terno e bom. Quase o abracei.

Quanto a ele, seus olhos voltaram a cobrir-se de lágrimas. Viu que eu havia notado isso e desviou a vista.

— Vamos — disse eu. — Coragem.

— Adeus.

E fazendo um esforço incrível para não chorar, antes fugiu do que partiu de minha casa.

Entreabri a cortina e vi-o subir ao cabriolé que o esperava. Mal se sentara e novo acesso de pranto o acometeu e ele escondeu o rosto no lenço.

Capítulo V

Bastante tempo se passou sem que eu ouvisse falar de Armand, mas em troca muito foi comentado sobre Marguerite.

Não sei se já observastes isso, mas basta ser pronunciado uma vez em vossa presença o nome de uma pessoa que vos deveria ser desconhecida ou pelo menos indiferente para que os pormenores pouco a pouco se agrupem em torno desse nome e nesse momento ouvireis todos os vossos amigos falarem desse assunto em que jamais haviam tocado. Descobrireis então que essa pessoa estava muito próxima de vós, que passou muitas vezes pela vossa vida, sem ser notada. Encontrareis nos fatos que vos contam uma coincidência, uma afinidade real com certos fatos de vossa própria existência. Não era esse exatamente o meu caso com Marguerite, pois já a vira, a encontrara, conhecia sua fisionomia e seus hábitos. No entanto, após o leilão, seu nome voltou com tanta frequência a meus ouvidos e, como relatei no capítulo anterior, esse nome vinha envolto em dor tão profunda, que meu espanto cresceu, aumentando a curiosidade.

E foi assim que eu não me aproximava mais de meus amigos, a quem jamais falara de Marguerite, sem perguntar:

— Conheceste uma mulher chamada Marguerite Gautier?
— A Dama das Camélias?
— Essa mesma.
— Muito!

Esse — muito! — era algumas vezes acompanhado de um sorriso que não deixava dúvidas quanto ao significado.

— Bem, e que tal era essa mulher? — continuava eu.
— Uma boa mulher.
— Nada mais?
— Meu Deus! Sim, tinha mais espírito e talvez um pouco mais de coração do que as outras...
— E tu nada sabes de particular sobre ela?
— Arruinou o barão de G...
— Somente?
— Foi amante do velho duque de...
— Foi mesmo amante dele?
— Era o que diziam. De qualquer modo, ele lhe dava bastante dinheiro.

Sempre as mesmas coisas superficiais.

Apesar disso eu tinha curiosidade de conhecer algo sobre a ligação dela com Armand.

Encontrei um dia um desses homens que vivem na intimidade das cortesãs. Interroguei-o.

— Conheceu Marguerite Gautier?

A resposta foi a mesma.

— Muito!
— Que tal era ela?
— Bonita, boa moça. Sua morte me entristeceu muito.
— Ela não teve um amante chamado Armand Duval?
— Um louro, alto?
— É.

— Teve.

— E esse Armand, quem era?

— Um rapaz que gastou com ela o pouco que possuía, acho, e que depois foi forçado a deixá-la. Dizem que era louco por ela.

— E ela?

— Ela também o amava muito, ao que se dizia, mas como essas mulheres amam. Não se pode exigir delas mais do que podem dar.

— E que aconteceu a Armand, depois?

— Não sei. Ninguém o conhecia, quase. Passou cinco ou seis meses com Marguerite, mas fora da cidade. Quando ela reapareceu ele se foi.

— E não o viram mais?

— Nunca mais.

Nem eu, tampouco, vira mais Armand. Chegava a pensar se, quando esteve em minha casa, a notícia recente da morte de Marguerite não lhe havia exagerado o amor antigo e consequentemente a dor e dizia a mim mesmo que talvez ele houvesse esquecido, juntamente com a morta, a promessa que me fizera de voltar à minha casa.

Tal suposição seria talvez provável em se tratando de outro, mas no desespero de Armand eu sentira a sinceridade. Passando, portanto, de um extremo a outro, imaginei que a tristeza se tivesse transformado em doença e que, se eu não recebia notícias, era porque ele estava doente ou talvez morto.

Interessava-me pelo rapaz mesmo contra a vontade. Talvez houvesse egoísmo nesse interesse, talvez eu adivinhasse sob o seu sofrimento uma tocante história de amor. Talvez, enfim, a curiosidade tivesse uma parte importante na minha preocupação pelo silêncio de Armand.

Como o sr. Duval não vinha à minha casa, iria eu à dele. Não seria difícil arranjar um pretexto, mas infelizmente eu não tinha o seu endereço e ninguém mo soube informar.

Fui à rua Antin. Talvez o porteiro soubesse da residência de Armand. Era um porteiro novo e sabia tanto quanto eu. Perguntei então em que cemitério fora enterrada Marguerite e ele me indicou o de Montmartre.

Abril chegara, o tempo estava bonito, as campas não deviam ter mais aquele aspecto doloroso e desolado que o inverno lhes dá. Já estava bastante quente, enfim, para que os vivos se recordassem dos mortos e os fossem visitar. Fui ao cemitério, pensando que só ao ver a sepultura de Marguerite já eu saberia se a dor de Armand persistia ainda e talvez eu pudesse indagar do seu destino.

Achei as dependências do zelador e perguntei-lhe se no dia 22 de fevereiro não havia sido sepultada ali uma mulher com o nome de Marguerite Gautier.

O homem consultou um livro grosso, onde estão inscritos e numerados todos aqueles que entram nesse último asilo e respondeu-me que efetivamente no dia 22, ao meio-dia, uma mulher com esse nome fora inumada.

Pedi-lhe que me conduzisse à campa, pois sem um guia não se pode encontrar o caminho nessa cidade dos mortos, que tem ruas como as dos vivos. O zelador chamou um jardineiro, a quem deu as instruções necessárias. O outro interrompeu-lhe a frase, dizendo:

— Sei, sei... Oh, é fácil de reconhecer, aquela sepultura — explicou, virando-se para mim.

— Por quê? — perguntei.

— Porque tem flores diferentes das outras.

— É o senhor que cuida dela?

— Sim, senhor, e queria que todos os parentes tivessem tanto carinho pelos mortos como o jovem que me encomendou o serviço.

Após virarmos por várias ruas, o jardineiro parou e disse:

— Aqui estamos.

Com efeito, tínhamos ante nós um quadrado de flores que ninguém julgaria ser uma sepultura, se não fosse a lápide em mármore branco.

A pedra ficava de pé e o terreno, limitado por uma grade de ferro, estava coberto de camélias brancas.

— Que tal achou? — quis saber o jardineiro.

— Está muito bonito.

— Cada vez que uma das camélias murcha tenho ordem para substituí-la.

— E quem deu essa ordem?

— Um jovem que chorou muito da primeira vez que aqui veio. Um apaixonado da morta, sem dúvida, pois parece que ela levava uma vida alegre. Dizem que era muito bonita. O senhor a conheceu?

— Sim.

— Como o outro? — indagou o jardineiro com um sorriso malicioso.

— Não. Jamais lhe dirigi a palavra.

— E vem visitá-la? É uma grande gentileza, pois os que vêm visitar a pobre moça não dão para encher o cemitério.

— Então não costuma vir ninguém?

— Ninguém, a não ser aquele rapaz, que veio uma vez.

— Uma única vez?

— Sim, senhor.

— E não voltou mais?

— Não, mas virá quando chegar.

— Então está viajando?

— Está.

— Sabe aonde foi?

— Acho que está em casa da irmã da srta. Gautier.

— E que foi fazer lá?

— Pedir autorização para exumar a morte e enterrá-la em outro local.

— Por que não quer que ela fique aqui?

— O senhor sabe, para os mortos se quer sempre algo melhor. Estamos sempre vendo dessas coisas. Essa sepultura foi comprada para cinco anos. O rapaz quer um jazigo perpétuo em um terreno maior. No quarteirão novo será mais fácil de conseguir.

— O que é que o senhor chama de quarteirão novo?

— Os terrenos novos que estão à venda, do lado esquerdo. Se o cemitério tivesse sido sempre tratado como o é agora, não haveria outro igual no mundo inteiro. Mas ainda há muito o que fazer antes que esteja tudo como deve ser. E depois, esse pessoal é tão aborrecido.

— Como?

— Quero dizer que há gente que é rígida demais, até aqui. Essa srta. Gautier, parece que ela fez um pouco a vida, se me perdoa a expressão. Agora está morta, a pobrezinha. Resta dela o mesmo que das outras de quem não há o que falar, e de que nós cuidamos todos os dias. Pois bem, quando os parentes das pessoas enterradas ao lado souberam de quem se tratava, não é que foram dizer que iam opor-se a que ela fosse sepultada aqui, que deveria haver locais à parte para essas mulheres, como há para os pobres? Já se viu? É, mas eu lhes disse umas coisas! Essas pessoas ricas, que não vêm aqui quatro vezes por ano visitar seus mortos, que trazem suas próprias flores... e veja que flores! Que vêm dar uma olhadela rápida naqueles que dizem chorar, que gravam na pedra dos túmulos lágrimas que jamais derramaram é que vêm aqui criar dificuldades para a vizinhança. Acredite se quiser, meu senhor, eu não conhecia a senhorita, não sei o que fazia. Pois bem, eu a estimo, esta coitadinha; cuido bem dela e lhe ponho as camélias pelo preço mais justo. É a minha morta predileta. Nós aqui somos obrigados a estimar os mortos, pois nos ocupamos tanto deles que não temos tempo para estimar outra coisa.

Fiquei olhando aquele homem e alguns dos meus leitores compreenderão, sem que haja necessidade de explicar, a emoção que suas palavras me causavam.

Sem dúvida ele notou isso, pois prosseguiu:

— Dizem que havia homens que se arruinaram por causa dela e que tinha amantes que a adoravam. Pois bem, quando penso que nenhum deles veio aqui oferecer-lhe uma flor sequer, acho isso triste e curioso. Apesar disso, essa aqui não tem muito de que se queixar, porque tem a sua sepultura e, se apenas um se lembra dela, o faz em nome dos outros. Mas há pobres mulheres da mesma profissão e da mesma idade que são jogadas na vala comum; isso me parte o coração, ver os seus corpos baixarem à terra. E não há ninguém que se ocupe delas, depois de mortas! Não é muito alegre a nossa profissão, sobretudo quando ainda nos resta um pouco de sentimento. Que quer? Isso é mais forte do que eu. Tenho uma neta bonita, de vinte anos; quando trazem uma morta de sua idade penso nela e, quer seja uma grande dama ou uma vagabunda, não posso deixar de me emocionar. Mas sem dúvida essas histórias são aborrecidas e não foi para me ouvir que o senhor veio. O zelador mandou-me guiar o senhor à tumba da srta. Gautier. Ei-la. Deseja mais alguma coisa?

— Conhece o endereço do sr. Armand Duval? — perguntei.

— Sim, senhor. Mora na rua de... pelo menos é lá que vou cobrar as flores que o senhor está vendo.

— Obrigado, meu amigo.

Lancei um último olhar sobre a sepultura florida, cujas profundezas desejaria sondar para ver o que a terra fizera à bela criatura que lhe fora entregue, e me afastei, tristemente.

— O senhor quer falar com o sr. Duval? — perguntou o jardineiro, que caminhava a meu lado.

— Quero.

— É que tenho certeza de que ainda não voltou, senão já teria estado aqui.

— Então o senhor está certo de que ele não esqueceu Marguerite?

— Não somente disso, mas também de que o seu desejo de mudar a sepultura nada mais é do que o desejo de revê-la.

— Como assim?

— A primeira coisa que me disse, quando veio ao cemitério, foi para perguntar como seria possível ver a moça. Respondi que só seria possível numa mudança de sepultura e o informei sobre as formalidades a cumprir para conseguir a troca. O senhor sabe que para transferir um morto de uma cova para outra é preciso fazer o reconhecimento e somente a família pode autorizar a operação, que precisa ser assistida por comissário de polícia. Foi por isso que o sr. Duval foi visitar a irmã da srta. Gautier e sua primeira visita aqui será evidentemente ao cemitério.

Chegávamos à porta do cemitério. Agradeci novamente ao jardineiro, metendo-lhe algum dinheiro na mão, e dirigi-me ao endereço que me dera.

Armand ainda não retornara.

Deixei-lhe um recado, pedindo que me procurasse ao chegar ou mandasse dizer onde eu o poderia encontrar.

No dia seguinte pela manhã recebi uma carta de Duval, que me informava do seu regresso e me rogava que passasse em sua casa, acrescentando que estava morto de fadiga e não podia sair.

Capítulo VI

Encontrei Armand de cama.

Ao ver-me, estendeu a mão ardente.

— O senhor está com febre — disse eu.

— Não é nada, apenas a fadiga de uma viagem muito rápida.

— Vem da casa da irmã de Marguerite?

— Sim, quem lhe falou?

— Eu o sei. Obteve o que queria?

— Mais uma vez sim. Mas quem o informou da viagem e do meu objetivo?

— O jardineiro do cemitério.

— O senhor viu a campa?

Não ousei responder, pois o tom de sua voz me provava que ele continuava presa da emoção de que eu já fora testemunha. Toda vez que o seu pensamento ou as palavras de outra pessoa lhe recordassem esse assunto doloroso, durante muito tempo ainda, a emoção o havia de dominar.

Contentei-me, então, com um aceno de cabeça.

— O homem tem cuidado bem dela? — quis saber Armand.

Duas grandes lágrimas rolaram pelas faces do doente, que virou o rosto para escondê-las. Fiz como se nada visse e tentei mudar de assunto.

— Há três semanas que o senhor está fora — disse eu.

Armand passou a mão pelos olhos e respondeu:

— Três semanas, exatamente.

— Foi uma viagem longa.

— Oh, não passei o tempo todo viajando. Estive quinze dias doente, sem o que já teria voltado há muito; mas, apenas cheguei lá, fui dominado pela febre e tive de ficar de cama.

— E voltou antes de se recuperar.

— Se ficasse lá mais oito dias eu estaria morto.

— Mas agora que está de volta é preciso cuidar disso. Seus amigos virão visitá-lo. Eu em primeiro lugar, se me permitir.

— Dentro de duas horas estarei de pé.

— Que imprudência!

— É preciso.

— Mas que assunto é esse, de tamanha urgência?

— Tenho de procurar o comissário de polícia.

— Por que não encarrega alguém dessa missão que pode piorar o seu estado de saúde?

— É a única coisa que me pode curar. Tenho de ver Marguerite. Depois que soube de sua morte e principalmente depois que vi a sepultura, não consegui mais dormir. Não posso admitir que essa mulher, que deixei tão jovem e tão bela, tenha morrido. É preciso que eu mesmo me assegure disso. É preciso que eu veja o que Deus fez desse ser a quem tanto amei, e talvez o desgosto produzido pelo espetáculo substitua o desespero. O senhor me acompanhará, não é? Se isso não o aborrece muito...

— Que disse a irmã dela?

— Nada. Ficou muito surpreendida com o fato de um estranho desejar comprar outro terreno e fazer novo túmulo para Marguerite, mas assinou prontamente a autorização que lhe pedi.

— Faça como eu digo. Espere estar bem curado antes de começar isso.

— Oh, serei forte, não se inquiete. Ficaria louco se não levasse a cabo, o mais depressa possível, esse objetivo cuja realização se tornou uma necessidade imposta pelo meu sofrimento. Juro que não poderei ter calma enquanto não vir Marguerite. É talvez uma sede provocada pela febre que me queima, um sonho das minhas insônias, um produto do meu delírio, mas, mesmo que, depois de a ver, eu tivesse que me tornar um monge trapista, como monsieur de Rancé, assim mesmo iria vê-la.

— Compreendo isso — respondi. — Conte comigo. Já viu Julie Duprat?

— Já. Vi-a no mesmo dia em que cheguei de volta pela primeira vez.

— E ela lhe entregou os papéis que Marguerite lhe havia deixado?
— Ei-los.

Armand tirou um rolo de sob o travesseiro e tornou a guardá-lo em seguida.

— Já sei de cor o que está estrito — disse. — Nessas três semanas li-os dez vezes por dia. O senhor os lerá também, mais tarde, quando eu estiver mais calmo e puder explicar melhor quanto essa confissão revela de bondade e de amor. Agora — continuou — tenho um favor a pedir-lhe.

— Qual?
— O senhor tem um carro à espera?
— Tenho.
— Pois bem, quer pegar meu passaporte e ir ver na posta-restante se há correspondência para mim? Meu pai e minha irmã devem ter-me escrito para Paris, mas parti com tanta precipitação que nem verifiquei isso. Assim que voltar iremos ao comissário preveni-lo da cerimônia de amanhã.

Armand entregou-me o passaporte e parti para a rua Jean-Jacques-Rousseau.

Havia duas cartas. Recebi-as e retornei.

Quando entrei, Armand já estava vestido e pronto para sair.

— Obrigado — disse ele recebendo as cartas. — Realmente — continuou, após examinar os sobrescritos — são de meu pai e de minha irmã. Devem ter ficado intrigados com o meu silêncio.

Abriu as cartas e adivinhou o conteúdo. Não as podia ter lido porque eram ambas de quatro páginas e após uns instantes ele já as havia dobrado.

— Vamos — chamou. — Amanhã escreverei as respostas.

Fomos ao comissariado, onde Armand entregou a procuração da irmã de Marguerite. O comissário deu-lhe em troca uma ordem escrita para o zelador do cemitério. Combinaram transladar o corpo no outro dia, às dez horas da manhã. Fiquei, então, de ir buscá-lo uma hora antes, para irmos juntos ao cemitério.

Também eu estava curioso de assistir ao espetáculo e confesso que não dormi.

A julgar pelas ideias que me assaltaram, aquela deve ter sido uma noite infindável para Armand.

Quando entrei em sua casa, às nove horas, ele estava pálido mas parecia calmo.

Sorriu ao estender-me a mão.

As velas do quarto tinham-se queimado até o fim e antes de sair Armand pegou uma carta volumosa, endereçada ao pai, onde se continham, sem dúvida, as impressões dessa noite.

Meia hora depois chegávamos a Montmartre, onde o comissário nos esperava.

Caminhamos lentamente em direção à tumba de Marguerite. O comissário ia na frente. Armand e eu o acompanhávamos a poucos passos.

De vez em quando eu sentia tremer convulsivamente o braço do meu companheiro, como se repentinos arrepios de frio lhe corressem pelo corpo. Nesses momentos eu o olhava e ele, compreendendo meu olhar, sorria-me; não havíamos trocado palavra desde que havíamos deixado sua casa.

Pouco antes da sepultura Armand parou para enxugar o rosto, orlado de grandes gotas de suor.

Aproveitei a pausa para respirar, pois eu mesmo tinha o coração como que apertado em um torno.

De onde virá o prazer doloroso que caracteriza essas cenas? Quando chegamos já o jardineiro retirara todas as flores, a grade de ferro fora levantada e dois homens cavavam a terra.

Armand apoiou-se a uma árvore e ficou observando.

Toda a sua vida parecia passar-lhe pelo olhar.

Subitamente, uma das enxadas bateu contra pedra.

A esse ruído Armand recuou como se tivesse sofrido um choque e me apertou a mão com tal força que me machucou.

Um dos operários apanhou uma grande pá e aos poucos esvaziou a cova. Depois, quando só havia as pedras com que se cobre o ataúde, jogou-as fora, uma a uma.

Fiquei observando Armand, temendo a cada instante que as sensações que visivelmente se acumulavam nele o derrubassem, mas ele continuava assistindo. Só os olhos fixos e abertos, como na loucura, e um leve tremor do queixo e dos lábios mostravam estar ele preso de violenta crise nervosa.

Quanto a mim, só posso dizer uma coisa: estava arrependido de ter comparecido.

Quando o ataúde estava quase descoberto o comissário ordenou aos escavadores:

— Abram.

Os homens obedeceram como se fosse a coisa mais simples do mundo.

O caixão era de carvalho e os homens começaram a desaparafusar a parte superior que servia de tampa. Estava tudo enferrujado, com a umidade do terreno, e não foi sem dificuldade que a tampa se abriu. Um odor infecto exalou-se, apesar de o caixão estar cheio de plantas aromáticas.

— Oh, meu Deus, meu Deus! — murmurou Armand, empalidecendo ainda mais.

Os próprios trabalhadores recuaram.

Um grande sudário branco cobria o corpo, desenhando algumas sinuosidades. Estava quase completamente estragado em um dos cantos, deixando aparecer um dos pés.

Eu estava a ponto de passar mal e ao escrever estas linhas tenho ainda gravada na memória a espantosa realidade da cena.

— Apressemo-nos — disse o comissário.

Então um dos homens esticou o braço, deslocou o sudário e, apanhando-o pela ponta, descobriu de súbito a fisionomia de Marguerite.

Era terrível de ver, é terrível de descrever.

Os olhos não eram mais do que duas cavidades, os lábios haviam desaparecido e os dentes brancos estavam apertados uns contra os outros. Os longos cabelos negros, secos, colavam-se às têmporas escondendo um pouco as depressões verdes das faces. Apesar disso reconheci nessa face o rosto branco e alegre que tantas vezes apreciara.

Armand, sem poder desviar a vista, levara o lenço à boca e o mordia.

Quanto a mim, parecia-me que um círculo de ferro me apertava a cabeça e um véu me cobria a vista; os ouvidos latejavam-me. Tudo o que pude fazer foi abrir um frasco que eu por acaso levava e aspirar profundamente os sais que continha.

Em meio a essa fraqueza ouvi o comissário perguntar ao sr. Duval:

— Reconhece a pessoa?

— Reconheço — respondeu o rapaz em voz surda.

— Então fechem e levem o ataúde — ordenou.

Os trabalhadores recobriram o rosto da morte, fecharam o ataúde, levantaram-no pelas pontas e seguiram para o local da nova sepultura.

Armand não se movia, com os olhos pregados na cova aberta, pálido como o cadáver que acabávamos de ver. Dir-se-ia petrificado.

Compreendi o que iria acontecer quando a dor diminuísse, ao findar a cerimônia, já que era a dor que o estava sustentando.

Dirigi-me ao comissário.

— A presença daquele senhor — disse eu, indicando Armand — é ainda necessária?

— Não — respondeu. — É mesmo preferível que o senhor o leve, pois não parece bem.

— Venha — disse eu a Armand, tomando-lhe o braço.

— O quê? — perguntou o rapaz, olhando-me como se não me conhecesse.

— Acabou-se. Temos de ir embora, meu amigo. O senhor está pálido e sente frio. A emoção vai-lhe fazer mal.

— Tem razão, vamos — respondeu ele maquinalmente, mas sem dar um passo.

Peguei-lhe o braço, então, e o conduzi. Deixava-se levar como uma criança, murmurando somente, de vez em quando:

— Viu-lhe os olhos?

E voltava-se como se essa visão o chamasse.

Seu andar passou a ser sacudido. Parecia avançar aos trancos. Seus dentes batiam, as mãos estavam geladas, violenta agitação nervosa tomava-lhe todo o corpo.

Falava-lhe e não me respondia. Tudo o que podia fazer era deixar-se levar.

Ao chegar ao portão tomamos um carro. Foi no momento exato. Apenas se sentou, o tremor cresceu até tornar-se um verdadeiro ataque de nervos, em meio ao qual o medo de me assustar fazia-o murmurar, apertando minha mão:

— Não é nada, não é nada, eu só queria chorar...

Eu via o seu peito encher-se, o sangue injetar-lhe a vista, mas as lágrimas não vinham.

Dei-lhe para cheirar o frasco que eu trouxera e, quando chegamos à sua casa, só restava o tremor.

Com o auxílio do seu empregado levei-o para a cama, fiz acender um fogo alto na lareira do quarto e corri à procura do meu médico, a quem contei o que se passara.

Ele veio imediatamente.

Armand estava rubro, delirava, pronunciando palavras sem nexo, entre as quais só se entendia o nome de Marguerite.

— Então? — perguntei ao médico, após o exame.

— Pois bem, é nem mais nem menos do que uma febre cerebral e isso é uma felicidade, pois acho, Deus me perdoe, que ele acabaria enlouquecendo. Felizmente, a doença física eliminará a doença moral e talvez dentro de um mês já esteja curado das duas.

Capítulo VII

As doenças como a de Armand têm isso de bom: ou matam de uma vez ou se deixam vencer rapidamente.

Quinze dias depois dos acontecimentos que acabo de contar, Armand estava em plena convalescença e nós ficamos ligados por uma amizade firme. Eu quase não deixara o seu quarto durante a doença.

A primavera espalhara já a sua profusão de flores, folhas, pássaros e canções e a janela de meu amigo abria-se alegremente para o jardim cujos aromas sadios subiam até nós.

O médico permitira-lhe levantar-se e ficávamos frequentemente conversando, sentados perto da janela aberta, na hora do sol mais quente, do meio-dia às duas horas.

Eu evitava cuidadosamente falar de Marguerite, temendo ainda que esse nome fizesse renascer uma triste lembrança adormecida sob a calma aparente do rapaz, mas Armand, pelo contrário, parecia sentir prazer em falar dela, não mais como antes, de lágrimas nos olhos, e sim com um sorriso doce que me aliviava os receios quanto ao seu estado de espírito.

Observei que desde a última visita ao cemitério, depois daquela cena que produzira a violenta crise, a intensidade da dor moral parecia ter sido reduzida pela doença e também que a morte de Marguerite não o atingia mais como no passado. Uma espécie de consolação nascera da certeza adquirida e, para afugentar a negra lembrança que de vez em quando lhe surgia, ele mergulhava nas recordações felizes do seu amor com Marguerite, aparentemente recusando-se a lembrar os outros aspectos.

O corpo estava demasiado fatigado pela crise e mesmo pela convalescença da febre para permitir ao espírito uma emoção violenta; e a alegria primaveril e universal que cercava Armand trazia-lhe ao pensamento, involuntariamente, imagens felizes.

Ele se havia obstinadamente recusado a informar a família do perigo que corria e como se salvara; o pai ignorava ainda o acontecido.

Uma tarde ficamos à janela mais tempo do que o habitual. O tempo estivera magnífico e o sol adormecia num crepúsculo deslumbrante de azul e ouro. Embora estivéssemos em Paris a vegetação que nos cercava parecia isolar-nos do mundo e apenas, de tempos em tempos, o ruído de um veículo perturbava nossa conversa.

— Foi nessa época do ano e numa tarde como esta que conheci Marguerite — disse Armand, atento aos próprios pensamentos e não ao que eu lhe dizia.

Não respondi e ele, voltando-se para mim, continuou:

— Tenho de lhe contar essa história. O senhor fará um livro no qual ninguém há de acreditar, mas que talvez seja divertido escrever.

— O senhor me contará tudo mais tarde, meu amigo — disse eu. — Depois que estiver completamente restabelecido.

— A noite está agradável, já comi o meu peito de galinha — disse ele, sorrindo — não tenho febre e nada há para se fazer. Vou contar.

— Já que faz questão, estou pronto a ouvir.

— É uma história bem simples — começou ele — e que vou apresentar segundo a ordem dos acontecimentos. Se o senhor a utilizar mais tarde, poderá alterar a ordem à sua vontade.

Eis o que me relatou; poucas de suas palavras mudei nessa história emocionante:

* * *

Sim, foi numa noite como esta! Passara o dia no campo com um dos meus amigos, Gastão R... Voltamos a Paris à noite e, sem ter o que fazer, entramos no teatro de Variedades.

Durante um dos intervalos saímos para o corredor e vimos passar uma mulher alta, que meu amigo saudou.

— Quem é essa que você cumprimentou? — perguntei.

— Marguerite Gautier.

— Ela me parece bastante mudada, pois não a reconheci — comentei, com uma emoção que o senhor logo entenderá.

— Esteve doente, a pobre moça. Não vai durar muito.

Lembro-me dessas palavras como se as tivesse ouvido ontem.

É preciso que lhe diga, meu amigo, que depois de dois anos a vista dessa mulher, quando a encontrei, me causava estranha sensação.

Sem que eu soubesse o motivo, empalideci e meu coração pulsava violentamente. Tenho um amigo que se dedica às ciências ocultas e que haveria de chamar a minha emoção de afinidade de fluidos. Quanto a mim, acho apenas que estava destinado a me apaixonar por Marguerite e pressentia isso.

Na verdade, ela sempre ma causava forte impressão. Vários de meus amigos haviam notado isso e achavam muita graça ao verem a causadora dessa sensação.

Vi-a pela primeira vez na praça da Bolsa, na porta da Susse. Parara ali uma caleça descoberta e dela descera uma mulher vestida de branco. Um murmúrio de admiração acolheu sua chegada à loja. Eu fiquei imóvel, do momento em que entrou até o momento em que saiu. Pelo vidro observei-a escolhendo na loja as coisas que viera comprar. Poderia ter entrado, mas não tive coragem. Não conhecia a mulher e temia que adivinhasse a razão da minha presença e se encolerizasse. E no entanto não tinha esperanças de revê-la.

Apresentava-se com elegância, trajada com um vestido de musselina esvoaçante, um xale da Índia, quadrado, com os cantos bordados em ouro e flores de seda, um chapéu de palha da Itália e um único bracelete, uma grossa corrente de ouro cuja moda começava naquela época.

Tornou a subir na caleça e partiu.

Um dos empregados da loja ficou na porta, acompanhando com a vista o veículo da elegante freguesa. Aproximei-me e indaguei-lhe o nome da mulher.

— É a srta. Marguerite Gautier.

Não tive coragem de indagar também o endereço e me afastei.

A lembrança dessa visão, pois verdadeiramente era isso, não me saiu mais do pensamento, como tantas outras visões que eu já tivera, e procurei por toda a parte essa mulher alva de tão nobre beleza.

Passados alguns dias houve uma grande apresentação na Ópera Cômica. Compareci. A primeira pessoa que vi, num camarote de frente, na galeria, foi Marguerite Gautier.

O rapaz que estava comigo também a reconheceu, pois disse, indicando o camarote:

— Veja só aquela beleza de mulher.

Nesse momento Marguerite virava-se para o nosso lado. Viu o meu amigo, sorriu-lhe e fez sinal, chamando-o para visitar o camarote.

— Vou dizer-lhe boa noite e volto já.

Não pude deixar de comentar:

— Você é bem feliz!

— Por quê?

— Porque vai falar com aquela mulher.

— Está interessado nela?

— Não — respondi, enrubescendo — porque não saberia como manter tal situação. Mas tenho vontade de conhecê-la.

— Venha comigo e o apresentarei.

— Primeiro peça permissão a ela.

— Ora bolas, não há necessidade de cerimônias com ela! Venha.

O que ele disse me magoou. Temia adquirir a certeza de que Marguerite não merecia a minha atração por ela.

Há num livro de Alphonse Karr, intitulado *Am Rauchen*, um homem que segue, à noite, uma mulher muito elegante e por quem se apaixonou à primeira vista, tão bela ela é. Só para beijar-lhe a mão ele sente a força de realizar qualquer coisa, a vontade de tudo conquistar, a coragem de tudo enfrentar. Quase não ousa fitar a meia fina que ela exibe ao levantar a saia para não a sujar no pó. Enquanto ele sonha com tudo o que faria para conquistá-la, ela vai ao seu encontro, numa esquina e convida-o para subir ao quarto.

Ele vira o rosto, atravessa a rua e volta para casa, triste.

Lembrei-me desse ensaio e, estando pronto a sofrer por causa daquela mulher, temi que me aceitasse depressa demais e me concedesse com demasiada presteza um amor que eu gostaria de pagar com uma longa espera ou um grande sacrifício. Somos assim, os homens. E é ótimo que a imaginação empreste essa poesia aos sentidos e que os desejos do corpo façam tal concessão aos sonhos do espírito.

Enfim, se dissessem que eu possuiria essa mulher à noite e seria morto no dia seguinte, eu teria aceitado. Se me dissessem que por dez luíses eu seria seu amante, teria recusado e chorado como a criança que, ao amanhecer, vê desvanecer-se o castelo do sonho.

E no entanto, eu a queria conhecer. Era um meio, o único, talvez, de saber o que poderia conseguir.

Disse, portanto, ao meu amigo, que fazia questão de que ela permitisse a apresentação e fiquei passeando pelos corredores, refletindo que agora ela ia ver-me e que eu não sabia como me apresentar ante seus olhos.

Tentei preparar desde logo o que lhe ia dizer.

Que criancice sublime é o amor!

Um momento mais tarde reapareceu meu amigo.

— Está à nossa espera — disse ele.

— Está sozinha?

— Com outra mulher.

— Não há homem algum lá?

— Não.

— Então vamos.

Meu amigo dirigiu-se para a porta de saída.

— Ora, não é por aí — reclamei.

— Vamos comprar doces. Ela me pediu.

Fomos a uma *bonbonnière* no próprio teatro. Eu queria comprar a loja toda e já pensava mesmo em que poderia conter o saco de doces, quando meu amigo pediu:

— Meio quilo de uvas cristalizadas.

— Sabe se ela aprecia isso?

— Não gosta de outra coisa, todos sabem disso. Ah — continuou, quando saímos —, sabe a que mulher vai ser apresentado? Não pense que é uma duquesa; é simplesmente uma cortesã, do tipo mais profissional, meu caro. Não faça cerimônia, portanto, e diga o que lhe vier à cabeça.

— Está certo, está certo — balbuciei, seguindo-o e pensando que minha paixão ia ser curada.

Quando entrei no camarote Marguerite ria às gargalhadas.

Preferia que ela estivesse triste.

Meu amigo apresentou-me. Marguerite fez uma ligeira inclinação com a cabeça e disse:

— E os meus doces?

— Ei-los.

Ao pegá-los ela me olhou. Baixei os olhos, ruborizado.

Ela se inclinou para a companheira, disse-lhe algumas palavras ao ouvido e ambas riram-se gostosamente.

Sem dúvida era eu o motivo daquela hilaridade. Meu embaraço duplicou-se. Nessa época minha amante era uma pequena burguesa muito terna e sentimental, cujas cartas melancólicas me faziam rir. Compreendi a dor que lhe causava pelo que senti, então, e durante cinco minutos a amei como mulher alguma foi amada jamais.

Marguerite comia as suas uvas sem me dar atenção.

Meu introdutor não quis deixar-me nessa situação ridícula.

— Marguerite — disse ele — não se espante se o sr. Duval não lhe fala; você o transtorna tanto que ele não tem palavras.

— Acho mais provável que este senhor o tenha acompanhado porque você achou aborrecido vir só.

— Se fosse assim — disse eu — não teria rogado a Ernest que lhe pedisse permissão para ser apresentado.

— Talvez não fosse senão um meio de retardar o momento fatal.

Por pouco que se tenha convivido com mulheres do tipo de Marguerite, sabe-se do prazer que elas sentem em ironizar e provocar as pessoas que veem pela primeira vez. É sem dúvida uma vingança das humilhações que elas são frequentemente obrigadas a suportar da parte dos que têm de ver diariamente.

Torna-se assim necessário, para lhes responder, um certo traquejo no seu ambiente, coisa que eu não possuía. E, além disso, a ideia que eu fizera de Marguerite piorava a situação. Nada que viesse daquela mulher me poderia ser indiferente. Portanto levantei-me, dizendo com uma voz cuja alteração não pude dominar por completo:

— Se é o que pensa de mim, minha senhora, só me resta pedir-lhe perdão pela minha indiscrição e despedir-me, assegurando-lhe que isso não se repetirá.

Já na porta, cumprimentei e saí.

Apenas havia fechado a porta quando ouvi a terceira explosão de riso. Desejaria bastante que alguém me desse uma cotovelada nesse momento...

Voltei à minha frisa.

Deram o sinal para o ato seguinte.

Ernest reapareceu a meu lado.

— Essa foi boa! — disse ele, sentando-se. — Elas estão convencidas de que você é maluco.

— Que disse Marguerite depois que saí?

— Riu e me assegurou que nunca vira alguém mais esquisito do que você. Mas você não deve considerar-se derrotado. Apenas não se deve dar àquelas mulheres a honra de tomá-las a sério. Elas não sabem o que seja a elegância ou a polidez. É como quando se perfuma um cachorro. Ele acha que está cheirando mal e vai rolar na poça d'água.

— E depois, que me importa? — disse eu, tentando afetar um tom despreocupado. — Não encontrarei mais essa mulher e se ela me atraía antes de lhe ser apresentado, isso acabou, agora que a conheço.

— Ora, não acho impossível ver você um dia no fundo do seu camarote e ouvir dizer que você se está arruinando por causa dela. No resto, você tem razão; ela é mal-educada, mas é uma bela amante para se ter.

Felizmente o pano se levantou e meu amigo ficou quieto. Eu não poderia dizer o que foi representado então. Tudo o que recordo é que de vez em quando eu levantava o olhar para aquele camarote que eu deixara tão rispidamente e onde os visitantes se sucediam a todo momento.

E no entanto eu estava longe de não pensar mais em Marguerite. Novo sentimento tomou conta de mim. Parecia-me que agora havia o seu insulto e o meu ridículo a descontar. Dizia comigo mesmo que, mesmo que tivesse de gastar tudo o que possuía, teria essa mulher e o direito de ocupar o lugar que tão rapidamente abandonara.

Antes de o espetáculo terminar Marguerite e a companheira saíram.

Mau grado meu, deixei a frisa.

— Já vai? — perguntou Ernest.

— Já.

— Por quê?

Nesse momento reparou que o outro camarote estava vazio.

— Vá, vá — disse ele — e boa sorte. Ou ainda, melhor sorte.

Saí.

Ouvi na escadaria o ruído de vestidos e o rumor de vozes. Fiquei de lado e vi passarem, sem ser visto, as duas mulheres e dois rapazes que as acompanhavam.

Sob o peristilo do teatro um empregadinho apareceu.

— Diga ao cocheiro para esperar na porta do Café Inglês — disse Marguerite. — Vamos caminhar até lá.

Quinze minutos mais tarde, rodando pela avenida, vi, por uma das janelas das grandes salas do restaurante, Marguerite, apoiada ao balcão, desfolhando uma a uma as camélias do seu buquê.

Um dos rapazes, inclinado junto à sua espádua, falava-lhe baixinho.

Fui instalar-me na Maison-d'Or, no salão do primeiro andar, e não perdi de vista a janela do restaurante.

À uma hora da madrugada Marguerite tomou o carro com os amigos.

Tomei um cabriolé e fui atrás.

Marguerite saltou e entrou sozinha em casa.

Foi sem dúvida uma coincidência, mas que me deixou muito satisfeito.

A partir desse dia encontrei frequentemente Marguerite no teatro, nos Campos Elísios. Sempre a mesma alegria nela, sempre a mesma emoção em mim.

Quinze dias se passaram, no entanto, sem que a visse. Encontrei Gaston e perguntei por ela.

— A pobre mulher está bem doente — disse ele.

— Que tem ela?

— Ela sofre dos pulmões e como leva uma vida que não a pode curar, está de cama, à morte.

O coração é estranho. Fiquei quase contente com essa doença.

Fui diariamente pedir notícias da doente, sem no entanto me identificar ou deixar meu cartão. Soube, assim, da sua convalescença e da sua partida para Bagnères.

Depois o tempo passou e a impressão, senão a lembrança, pareceu apagar-se pouco a pouco na minha memória. Viajei. Casos amorosos, novos hábitos e o trabalho tomaram o lugar dessa preocupação e quando recordava essa primeira aventura, não queria ver nela mais do que uma dessas paixões juvenis que pouco tempo depois nos causam riso.

Além disso, não haveria mérito em triunfar sobre essa lembrança, pois perdera Marguerite de vista depois de sua partida e, como já contei, quando ela passou por mim no corredor do Variedades, não a reconheci.

Trazia um véu, não há dúvida. Mas por mais oculta que estivesse, há dois anos, eu não precisaria vê-la para a reconhecer. Teria adivinhado.

Isso não impediu meu coração de bater quando soube que era ela. E os dois anos passados sem a ver e os resultados que esta separação parecia ter causado desapareceram na mesma fumaça ao simples toque de seu vestido.

Capítulo VIII

No entanto — continuou Armand após uma pausa — mesmo sabendo que estava apaixonado, sentia-me mais forte do que outrora e no meu desejo de rever Marguerite havia também a vontade de lhe mostrar que eu me tornara superior a ela.

Quantos caminhos toma e quantos motivos descobre o coração para chegar aonde quer!

Mas não pude ficar muito tempo nos corredores e voltei ao meu lugar perto da orquestra, dando uma rápida vista de olhos pela sala para localizar o seu camarote.

Ela ocupava o camarote próximo ao palco, ao nível da plateia, sozinha. Estava mudada, como já disse. Não vi em sua boca aquele sorriso indiferente. Ela havia sofrido e ainda sofria.

Embora já estivéssemos em abril, ela ainda se vestia como no inverno, coberta de veludo.

Fitei-a tão firmemente que meu olhar atraiu o seu.

Ela me olhou durante alguns instantes, usou a *lorgnette* para me ver melhor e sem dúvida julgou reconhecer-me sem ter a certeza de quem eu era, pois ao baixar a *lorgnette* um sorriso, essa encantadora saudação feminina, pairou-lhe nos lábios para responder ao cumprimento que parecia esperar de mim. Eu nada respondi, como para tomar vantagem sobre ela e parecer haver esquecido quando ela ainda se lembrava.

Ela julgou ter-se equivocado e virou o rosto.

Levantou-se o pano.

Vi muitas vezes Marguerite no teatro e jamais a vi dar a menor atenção ao espetáculo.

Quanto a mim, o espetáculo também não tinha interesse e só me ocupei dela, mas fazendo os maiores esforços para que não o percebesse.

Vi-a, desse modo, trocar olhares com uma pessoa que ocupava o camarote oposto ao seu. Virei-me para lá e reconheci uma mulher com quem eu tinha bastante intimidade.

Era uma antiga cortesã, que tentara entrar para o teatro sem o conseguir e que, contando com suas relações entre as elegantes de Paris, se havia dedicado ao comércio e instalado uma casa de modas.

Vi ali um meio de voltar a encontrar Marguerite e aproveitei um momento em que ela olhava para o meu lado para lhe dizer boa noite com a mão e com os olhos.

Aconteceu o que previra. Ela me chamou ao seu camarote.

Prudence Duvernoy, como tinha sido adequadamente batizada, era uma dessas mulheres gordas, de quarenta anos, com as quais não é preciso grande diplomacia para as fazer revelar o que se quer saber. Sobretudo quando o que se quer saber é tão simples como o que eu desejava.

Aproveitei um momento em que ela recomeçava sua comunicação com Marguerite para perguntar:

— A quem olha assim?

— Marguerite Gautier.

— Conhece-a?

— Conheço. Sou sua modista e ela é minha vizinha.

— Então a senhora mora na rua Antin?
— No número sete. A janela do seu toucador dá para o meu.
— Dizem que ela é muito interessante.
— O senhor não a conhece?
— Não, mas gostaria muito.
— Quer que a chame aqui?
— Não, prefiro que me apresente a ela.
— Em casa?
— Sim.
— Isso é mais difícil.
— Por quê?
— Porque ela é protegida de um velho duque muito ciumento.
— Protegida é uma expressão encantadora.
— Protegida, mesmo — afirmou Prudence. — O pobre velho se sentiria muito embaraçado como seu amante.

Prudence então me contou como Marguerite conhecera o duque em Bagnères.

— É por isso — perguntei — que ela está sozinha?
— Exatamente.
— Mas quem a levará de volta para casa?
— Ele.
— Então ele vem buscá-la?
— Está quase na hora.
— E a senhora, com quem irá?
— Com ninguém.
— Ofereço-me.
— Mas o senhor está com um amigo, não é?
— Oferecemo-nos ambos, então.
— Quem é o seu amigo?
— Um rapaz encantador, muito espirituoso e que ficará encantado de conhecê-la.

— Muito bem, está combinado. Partiremos os três depois desta peça, pois conheço a última.

— Perfeitamente, vou prevenir meu amigo.

— Vá.

— Ah! — informou Prudence, quando eu ia sair. — Eis o duque, entrando no camarote de Marguerite.

Olhei.

Um homem de setenta anos, com efeito, acabava de sentar-se atrás da moça, oferecendo-lhe um pacote de doces. Ela o pegou, sorridente, e depois se adiantou no camarote, fazendo a Prudence um aceno que se poderia traduzir como:

— Aceita?

— Não — fez Prudence.

Marguerite guardou o saquinho e virou-se para conversar com o duque.

O relato desses pormenores parece infantil, mas tudo o que diz respeito a essa mulher está gravado em minha memória e não posso esquecer até hoje.

Desci para prevenir Gaston do que havia combinado para nós.

Aceitou.

Deixamos nossos lugares para subir ao camarote da sra. Duvernoy.

Apenas havíamos aberto a porta quando fomos forçados a parar, a fim de dar passagem a Marguerite e ao duque, que saíam.

Teria dado dez anos de vida para estar no lugar do idoso cavalheiro.

Chegados à rua, ele a fez subir a um carro de dois lugares que ele mesmo conduzia e partiram ao trote de dois soberbos cavalos.

Entramos no camarote de Prudence.

Quando acabou a peça descemos e tomamos um simples fiacre que nos levou à rua Antin, número sete. À porta de sua casa, Prudence convidou-nos a subir, para vermos suas revistas, que não conhecíamos e que pareciam causar-lhe orgulho. Pode-se entender com que boa vontade aceitei.

Parecia-me que aos poucos me estava aproximando de Marguerite. Desviei logo a conversa para ela.

— O velho duque está em casa de sua vizinha? — perguntei.
— Não deve estar mais. Ela com certeza está sozinha.
— Mas isso é muito aborrecido — disse Gaston.
— Estamos quase todas as noites juntas, ou então, quando ela chega, me chama. Nunca se deita antes das duas horas da madrugada. Não consegue dormir antes disso.
— Por quê?
— Porque sofre do peito e está quase sempre com febre.
— Ela não tem amantes? — perguntei.
— Não vejo ficar ninguém quando saio, mas não digo que não chegue alguém depois. Frequentemente encontro em casa dela, à noite, um tal conde de N., que julga melhorar sua situação visitando-a às onze horas e enviando-lhe tantos presentes quantos ela queira. Mas ela não o pode ver nem pintado. Faz mal, porque é um rapaz muito rico. De vez em quando lhe digo: "Minha cara, esse é o homem que lhe serve!" E ela, que costuma ouvir-me, me dá as costas e responde que ele é muito aborrecido. Que ele é mesmo aborrecido, concordo. Mas para ela seria uma posição, pois o velho pode morrer de um dia para o outro. Os velhos são egoístas. A família reclama continuamente por causa da sua afeição por ela. São duas razões para que ele nada deixe para Marguerite. Eu lhe dou conselhos e ela responde que sempre será possível aceitar o conde depois da morte do duque. Não é aborrecido viver assim desse jeito? Eu bem sei que comigo isso não seria possível. Eu despediria prontamente o velhote. É sem graça, chama-a de filha, cuida dela como de uma criança, está sempre atrás dela. Estou certa de que a esta hora um dos seus empregados roda pela rua para ver quem sai e sobretudo quem entra.
— Ah, pobre Marguerite! — disse Gaston, sentando-se ao piano e tocando uma valsa. — Eu não sabia disso. Entretanto eu a tenho achado menos alegre, de uns tempos para cá.

— Psiu! — fez Prudence, com o ouvido atento.

Gaston interrompeu a música.

— Acho que ela me está chamando.

Ficamos à escuta.

Com efeito, uma voz chamava Prudence.

— Bem, cavalheiros, retirem-se — disse Prudence.

— Ah, é assim que a senhora compreende a hospitalidade? — perguntou Gaston, rindo. — Iremos quando acharmos conveniente.

— Por que haveríamos de sair?

— Vou para a casa de Marguerite.

— Esperaremos aqui.

— Isso não é possível.

— Então iremos com a senhora.

— Menos ainda.

— Conheço Marguerite — disse Gaston — e posso perfeitamente fazer-lhe uma visita.

— Mas Armand não a conhece.

— Eu o apresento.

— Não pode ser.

Ouvimos novamente a voz de Marguerite, que continuava a chamar Prudence.

Esta correu ao toucador. Segui-a, juntamente com Gaston. Ela abriu a janela.

Escondemo-nos para não sermos vistos de fora.

— Há dez minutos que estou chamando você — disse Marguerite da sua janela, num tom quase imperioso.

— Que foi?

— Quero que você venha para cá imediatamente.

— Por quê?

— Porque o conde de N. está aqui e me aborrece tremendamente.

— Mas agora eu não posso.

— Por que motivo?
— Há dois rapazes em minha casa que não querem ir embora.
— Diga-lhes que precisa sair.
— Já lhes disse.
— Pois bem, deixe-os aí. Quando a virem sair, partirão.
— Depois de virarem tudo de pernas para o ar?
— Mas o que querem eles?
— Querem ver você.
— Quem são?
— Você conhece um deles, Gaston R.
— Ah, sim, conheço. E o outro?
— O sr. Armand Duval. Não conhece?
— Não. Mas traga-os. Tudo, menos o conde. Estou esperando, venha logo!

Marguerite fechou a janela e Prudence também.

Marguerite, que por um instante se recordara de minha fisionomia, não se lembrava mais do meu nome. Eu preferia que ela tivesse uma lembrança desfavorável de mim a esse esquecimento.

— Eu bem sabia — disse Gaston — que ela ficaria encantada em ver-nos.

— Encantada não é bem o termo — respondeu Prudence, arrumando o xale e o chapéu — ela vai receber os senhores para se livrar do conde. Procurem ser mais amáveis do que ele, senão ela se aborrecerá comigo. Conheço Marguerite.

Acompanhamos Prudence, que descia a escada.

Eu tremia. Parecia-me que essa visita teria grande influência em minha vida.

Eu estava ainda mais emocionado do que na noite da minha primeira apresentação, no camarote da Ópera Cômica.

Chegando à porta do apartamento que o senhor conhece, o coração batia-me tão forte que o raciocínio me fugia.

Alguns acordes de piano chegaram até nós.

Prudence bateu.

O piano silenciou.

Uma mulher, que mais parecia dama de companhia do que empregada, veio abrir.

Entramos no salão e de lá passamos à saleta, que era naquela época o que o senhor conheceu mais tarde.

Um rapaz estava apoiado à chaminé.

Marguerite, sentada ao piano, deixava correr os dedos pelas teclas e iniciava trechos sem chegar ao fim.

O que chamava a atenção na cena era o tédio. Para o homem, pelo embaraço de sua nulidade. Para a mulher, pela visita dessa lúgubre personagem.

Ao ouvir a voz de Prudence, Marguerite ergueu-se e aproximando-se de nós trocou um olhar de agradecimento com a sra. Duvernoy, dizendo:

— Entrem, senhores, sejam bem-vindos.

Capítulo IX

— Boa noite, meu caro Gaston — disse Marguerite a meu companheiro —, é uma satisfação vê-lo. Por que não foi ao meu camarote no Variedades?

— Receei ser indiscreto.

— Os amigos — e Marguerite acentuou essa palavra como se quisesse explicar aos presentes que, apesar da familiaridade com que o recebia, Gaston não era nem tinha sido jamais outra coisa que não um amigo — os amigos não são nunca indiscretos.

Nesse caso permita que lhe apresente o sr. Armand Duval!

— Já havia autorizado Prudence a fazer a apresentação.

— Aliás, minha senhora — disse eu com uma inclinação e conseguindo a custo falar, de modo a ser ouvido —, já tive a honra de lhe ser apresentado.

O olhar encantador de Marguerite pareceu pesquisar a memória, mas não recordou o fato, ou pareceu não recordar.

— Minha senhora — insisti —, sou-lhe grato por ter olvidado a primeira apresentação, pois me portei ridiculamente e devo ter-lhe parecido muito desagradável. Foi há dois anos. Eu estava com Ernest de...

— Ah, lembro-me! — disse Marguerite com um sorriso. — Não foi o senhor que foi ridículo. Fui eu que me portei de maneira maliciosa, como ainda o faço, mas em menor dose. O senhor me perdoou?

Estendeu-me a mão, que beijei.

— É verdade — continuou ela. — Acredite que tenho o mau hábito de querer embaraçar as pessoas que vejo pela primeira vez. É uma grande tolice. Meu médico atribui isso ao fato de eu ser nervosa e estar sempre doente. Acredite no meu médico.

— Mas a senhora me parece muito bem.

— Oh, estive muito doente.

— Eu sei.

— Quem lhe disse?

— Todos o sabiam. Fui frequentemente saber notícias suas e recebi com prazer a notícia de sua convalescença.

— Não me deram seu cartão.

— Não o deixei ficar.

— Seria o senhor o homem que vinha diariamente informar-se de minha saúde durante a moléstia e que jamais quis dizer o nome?

— Sim, sou eu.

— Então o senhor é mais do que indulgente, o senhor é generoso. Não seria o senhor, conde, que haveria de fazer isso — disse ela, virando-se para o nobre, depois de lançar sobre mim um desses olhares com os quais as mulheres completam sua opinião a respeito de um homem.

— Conheço-a há apenas dois meses — replicou o conde.

— E este senhor não me conhece senão há cinco minutos. O senhor sempre responde tolices.

As mulheres são impiedosas para com as pessoas que não estimam.

O conde ruborizou-se e mordeu o lábio.

Tive pena dele, pois parecia apaixonado como eu, e a rude franqueza de Marguerite devia fazê-lo bem infeliz, principalmente em presença de dois estranhos.

— A senhora tocava quando entramos — disse eu para mudar o rumo da conversa. — Não me poderia fazer o obséquio de me tratar como a um velho conhecido e continuar?

— Oh — fez ela, jogando-se sobre o divã e fazendo-nos sinal para que sentássemos — Gaston sabe que espécie de música eu toco. É bom quando estou a sós com o conde, mas não lhes poderia fazer suportar tal suplício.

— Mereço então essa preferência? — replicou o conde de N., com um sorriso que procurava tornar sutil e irônico.

— Faz mal em censurar-me por ela; é a única.

Estava decidido que o rapaz não diria mais uma palavra. Lançou sobre a moça um olhar verdadeiramente suplicante.

— Diga uma coisa, Prudence — continuou ela. — Você fez o que lhe pedi?

— Fiz.

— Está bem, você depois me dirá. Temos que conversar; antes de você sair preciso falar-lhe.

— Estamos, sem dúvida, importunando — disse eu, então — e agora que conseguimos, ou melhor, que consegui uma segunda apresentação para fazer esquecer a primeira, vamos retirar-nos, Gaston e eu.

— Em absoluto, não foi pelo senhores que eu disse aquilo. Pelo contrário, quero que fiquem.

O conde puxou um relógio muito bonito e olhou as horas:

— É tempo de eu ir ao clube — disse.

Marguerite nada respondeu.

O conde então se afastou da chaminé e encaminhou-se para ela:

— Adeus, minha senhora.

Marguerite levantou-se.

— Adeus, meu caro conde, já vai?

— Sim, tenho medo de aborrecê-la.

— O senhor não me aborrece hoje mais do que nos outros dias. Quando tornará a aparecer?

— Quando a senhora o permitir.

— Então, adeus!
Foi cruel, o senhor não concorda?

O conde, felizmente, tinha ótima educação e um caráter excelente. Contentou-se em beijar a mão que Marguerite lhe estendia despreocupadamente e saiu após ter-nos saudado.

No momento de atravessar a porta, ele fitou Prudence.

Esta deu de ombros com uma expressão que significava:

— Que mais quer? Fiz tudo o que pude.

— Nanine! — chamou Marguerite. — Conduza o senhor conde.

Ouvimos abrir e fechar a porta.

— Por fim! — gritou Marguerite, reaparecendo. — Foi-se. Esse moço irrita-me os nervos horrivelmente.

— Minha querida — disse Prudence — você é na verdade rude demais para com ele, que é tão bom e tão atencioso. Olhe ali sobre a chaminé o relógio que ele lhe deu e que lhe custou pelo menos mil escudos, na certa.

E a sra. Duvernoy, que se aproximara da lareira, brincava com a joia que mencionara, dando olhares de cobiça.

— Minha cara — respondeu Marguerite, sentando-se ao piano — quando peso de um lado o que ele me dá e de outro o que ele me diz, vejo que as visitas lhe saem baratas.

— O pobre moço está apaixonado por você.

— Se eu devesse escutar todos os que estão apaixonados por mim, não teria tempo para jantar sequer.

E ela fez correr os dedos pelo teclado, depois do que voltou-se para nós, dizendo:

— Querem tomar alguma coisa? Eu tomaria, com prazer, um pouco de ponche.

— E eu aceitaria um pedaço de frango — disse Prudence. — Que tal cearmos?

— É isso, vamos cear — propôs Gaston.

— Não, a ceia será aqui mesmo.

Tocou a campainha. Nanine atendeu.

— Que devo trazer?

— O que você quiser, mas rápido, rápido.

Nanine saiu.

— É isso — disse Marguerite, saltitando como uma criança — vamos cear. Como o imbecil desse conde é aborrecido!

Quanto mais via essa mulher, mais me encantava. Era de uma beleza arrebatadora. Mesmo sua magreza era um atrativo.

Fiquei em contemplação.

O que se passava comigo era difícil de explicar. Estava cheio de indulgência pela sua vida, cheio de admiração por sua beleza. Essa prova de desinteresse que ela dava ao recusar um homem jovem, elegante e rico e que estava pronto a se arruinar por ela, desculpava ante meus olhos todas as suas faltas do passado.

Havia naquela mulher qualquer coisa semelhante à candura.

Via-se que ainda estava na virgindade do vício. Seu passo seguro, seu corpo flexível, suas narinas róseas e dilatadas, seus grandes olhos levemente rodeados de azul denotavam uma dessas naturezas ardentes, que espalham em torno de si um perfume de voluptuosidade, como esses frascos do Oriente que por mais bem fechados deixam escapar o perfume que contêm.

Enfim, fosse naturalmente, fosse pelo seu estado doentio, passava de vez em quando pelos olhos daquela mulher um relâmpago de desejo cuja expansão seria uma revelação celestial para aquele que fosse amado por ela. Mas os que haviam amado Marguerite não se contavam mais e os que ela amara ainda não se podiam contar.

Em suma, reconhecia-se naquela mulher a virgem que um nada fizera cortesã e a cortesã que um nada transformaria na virgem mais amorosa e mais pura. Havia ainda em Marguerite altivez e independência, dois sentimentos que, feridos, são capazes de fazer aquilo que produz o pudor. Eu nada dizia, minha alma parecia ter passado toda para dentro do coração e o coração para os olhos.

— Então — insistiu ela, de repente — era o senhor que vinha saber notícias quando eu estava doente?

— Era.

— Sabe que é muito bonito isso? E que posso eu fazer em sinal de agradecimento?

— Permitir-me revê-la de tempos em tempos.

— Tantas vezes quantas queira, de cinco às seis e das onze à meia-noite. Olhe, Gaston, toque o "Convite à Valsa".

— Por quê?

— Para me dar prazer. E também porque não consigo aprender sozinha a tocá-la.

— Onde encontra dificuldade?

— Na terceira parte, na passagem em sustenidos.

Gaston levantou-se, foi ao piano e começou a maravilhosa melodia de Weber, cuja partitura estava aberta sobre a estante.

Marguerite, com a mão apoiada sobre o piano, olhava o caderno, seguindo com os olhos cada nota, que acompanhava cantando baixinho e quando Gaston atingiu a passagem indicada, trauteou, movendo os dedos sobre a tampa do piano:

— Ré, mi, ré, dó, ré, fá, mi, ré, eis o que não consigo tocar. Recomece.

Gaston recomeçou e depois Marguerite disse:

— Agora, deixe-me tentar.

Tomou-lhe o lugar e tocou, por sua vez, mas os dedos rebeldes enganavam-se sempre numa das notas que acabei de citar.

— É incrível — disse ela com verdadeira voz de criança — que eu não consiga tocar essa passagem! Acreditam que fico às vezes até as duas da manhã nisso? E quando penso que esse imbecil de conde toca essa música de ouvido e admiravelmente, acho que é isso que me põe furiosa com ele.

E ela recomeçou, sempre com o mesmo resultado.

— O diabo leve Weber, a música e os pianos! — disse, atirando o caderno ao outro lado do aposento. Será possível que eu não possa tocar oito sustenidos em seguida?

E ela cruzou os braços olhando para nós e batendo com o pé.

O sangue subiu-lhe à face e uma tosse ligeira entreabriu-lhe os lábios.

— Vamos, vamos — disse Prudence que tirara o chapéu e alisava os bandós em frente ao espelho — você vai se irritar outra vez e isso lhe faz mal. Vamos cear que é melhor. Eu já estou morta de fome.

Marguerite tocou outra vez a campainha, depois voltou ao piano e começou à meia-voz uma canção obscena, em cujo acompanhamento não se confundiu.

Gaston conhecia a música e fizeram uma espécie de dueto.

— Não cante essas sujeiras — disse eu familiarmente a Marguerite, em tom de súplica.

— Oh, como o senhor é puro! — disse ela sorrindo e me estendendo a mão.

— Não é por mim, é pela senhora.

Marguerite fez um gesto que queria dizer: "Oh, há muito tempo que, para mim, se acabou a pureza."

Nesse momento surgiu Nanine.

— A ceia está pronta? — perguntou Marguerite.

— Sim, senhora, em um momento.

— A propósito — disse-me Prudence — o senhor não conhece o apartamento; venha, que vou mostrá-lo.

O senhor o viu, o salão era uma maravilha.

Marguerite acompanhou-nos um pouco, depois chamou Gaston e passou com ele pela sala de jantar, a fim de ver se a ceia estava pronta.

— Olhe — falou Prudence, em voz bem alta, apanhando sobre uma cômoda uma estatueta de Saxe — não conhecia este homenzinho!

— Qual?

— O pastorzinho que leva uma gaiola com um pássaro.

— Fique com ele, se lhe agrada.

— Ah, mas tenho pena de tomá-lo de você.

— Eu ia dá-lo à empregada porque o acho horroroso. Mas se você gosta, pode levá-lo.

Prudence viu apenas o presente e não o modo de presentear. Separou o seu pastor e me conduziu até o banheiro onde me mostrou duas miniaturas que formavam um par, dizendo:

— Este é o conde de G., que foi grande apaixonado de Marguerite. Foi quem a lançou. Conhece-o?

— Não. E esse outro? — perguntei, mostrando a segunda miniatura.

— É o viscondezinho de L. Foi forçado a partir.

— Por quê?

— Porque estava quase arruinado. Era um que amava Marguerite!

— E ela o amava muito, sem dúvida.

— É uma moça esquisita; nunca se sabe onde se está. Na noite do dia em que ele partiu ela compareceu ao teatro, como sempre. E no entanto havia chorado na despedida.

Nesse instante Nanine apareceu, anunciando a ceia.

Quando entramos na sala de refeições, Marguerite estava apoiada à parede e Gaston, segurando-lhe as mãos, falava-lhe baixinho.

— Você está maluco! — dizia Marguerite. — Sabe muito bem que nada quero de você. Não é ao fim de um conhecimento de dois anos, com uma mulher como eu, que alguém lhe vai pedir para ser seu amante. Nós nos entregamos de saída, ou então nunca mais. Vamos, senhores, à mesa.

E, soltando-se das mãos de Gaston, Marguerite o fez sentar-se à sua direita e eu à esquerda, dizendo depois a Nanine:

— Antes de se sentar, recomende à cozinheira que não abra se baterem.

Essa recomendação era feita à uma hora da manhã.

Riu-se, bebeu-se e comeu-se muito nessa ceia. Ao cabo de alguns instantes a alegria atingiu os últimos limites e algumas palavras, que certo mundo acha agradáveis e que sujam sempre a boca de quem as pronuncia, soavam de vez em quando debaixo de grandes aclamações de Nanine, de Prudence e de Marguerite.

Gaston divertia-se à vontade. Era um rapaz de bons sentimentos, mas cujo espírito fora um pouco torcido pelos primeiros hábitos. De saída eu quis aturdir-me, fazer meu coração e meu pensamento indiferentes ao espetáculo que tinha sob os olhos e tomar parte na alegria que parecia um dos objetivos da refeição. Mas pouco a pouco fui ficando isolado no ruído geral, meu copo estava ainda cheio e eu me tornara quase triste ao ver essa bela criatura de vinte anos beber, falar como um cocheiro e rir tanto mais quanto mais escandalosa fosse a frase.

E no entanto essa alegria, esse modo de falar e de beber que nos outros convivas me pareciam resultado da devassidão, do hábito ou então deliberados, em Marguerite davam a impressão de uma necessidade de esquecer, uma febre, uma irritação nervosa. A cada copo de champanha suas faces cobriam-se de um rubor febril e uma tosse, leve no início do repasto, foi-se tornando mais forte até obrigá-la a virar a cabeça sobre o encosto da cadeira e comprimir o peito com as mãos, todas as vezes que vinha o acesso.

Eu sofria com o mal que a esse organismo frágil deviam fazer os excessos diários.

Chegou enfim uma coisa que eu havia previsto e ao mesmo tempo temia. Ao fim da ceia, Marguerite foi presa de um acesso de tosse mais forte do que todos os que tivera desde a minha chegada. Pareceu-me que seu peito se desfazia internamente. A pobre moça ficou rubra, fechou os olhos com a dor e levou aos lábios o guardanapo, que uma gota de sangue avermelhou. Então levantou-se e correu para o banheiro.

— O que há com Marguerite? — perguntou Gaston.

— Há que ela riu demais e está expectorando sangue — respondeu Prudence. — Ora, não há de ser nada, isso lhe acontece todos os dias. Ela volta já. Deixemos que fique a sós, que ela prefere assim.

Eu não me pude conter e, para grande espanto de Nanine e de Prudence, que me chamavam de volta, fui ao encontro de Marguerite.

Capítulo X

O quarto onde ela se fora refugiar era iluminado apenas por uma vela sobre a mesa. Jogada sobre um divã, com o vestido aberto, ela tinha uma das mãos sobre o coração e a outra caída para o lado. Sobre a mesa havia uma pequena bacia de prata com água até a metade. Essa água estava riscada por filetes de sangue.

Marguerite, muito pálida e com a boca entreaberta, tentava tomar fôlego. Por vezes seu peito se enchia num longo suspiro que, exalado, parecia animá-la um pouco e deixá-la durante alguns segundos com uma sensação de bem-estar.

Aproximei-me sem que ela fizesse um movimento, sentei-me e segurei-lhe a mão que repousava sobre o divã.

— Ah, é o senhor? — fez ela com um sorriso.

Parece que minha fisionomia estava transtornada, porque ela perguntou:

— O senhor também está doente?

— Não, mas você sofre ainda?

— Muito pouco. — Ela enxugou com o lenço as lágrimas que a tosse lhe trouxera aos olhos. — Agora já estou habituada a isto.

— Você está-se matando — disse eu com a voz emocionada. — Desejaria ser seu amigo, seu parente, para impedi-la de se prejudicar desse modo.

— Ah, não vale a pena o senhor alarmar-se — replicou num tom um pouco amargo. — Veja se os outros se preocupam comigo. É que eles sabem muito bem que não há o que fazer com esta doença.

Depois disso ela se levantou e, apanhando a vela, colocou-a sobre a lareira para poder ver-se ao espelho.

— Como estou pálida! — disse, abotoando o vestido e passando os dedos pelos cabelos desfeitos. — Ora, bolas! Voltemos para a mesa, quer?

Mas eu tinha-me sentado e não me movi.

Ela compreendeu a emoção que a cena me causara, pois se aproximou de mim e estendendo a mão, disse:

— Vamos, venha.

Tomei-lhe a mão e levei-a aos lábios, molhando-a contra a vontade com duas lágrimas que contivera durante longo tempo.

— Ora, como o senhor é criança! — exclamou, sentando-se a meu lado. — Está chorando! Que tem?

— Devo parecer-lhe bem ingênuo, mas o que acabo de ver me causou um mal terrível.

— O senhor é muito bom! Que quer? Não posso dormir, é preciso que me divirta um pouco. E depois, mulheres como eu, uma a mais ou a menos, que diferença faz? Os médicos dizem que o sangue que cuspo vem dos brônquios. Faço cara de quem acredita. É tudo o que posso fazer por eles.

— Escute, Marguerite — disse eu com uma emoção que não pude conter. — Não sei que grau de influência você vai ter na minha vida, mas sei que até este momento ninguém, nem mesmo minha irmã, me provocou o mesmo interesse. Tem sido assim desde que a vi. Pois bem, em nome do céu, cure-se e não viva mais como tem feito.

— Se eu me curasse, morreria. O que me sustém é a vida febril que levo. Ora, cuidar-se é bom para as mulheres honestas que têm família e amigos. Nós, desde que não possamos mais servir à vaidade ou ao prazer de nossos amantes, seremos abandonadas por eles, e as longas noites sucederão aos dias longos. Conheço isso bem; passei dois meses no leito. Ao fim de três semanas ninguém mais me vinha ver.

— É verdade que não sou nada seu — respondi — mas se quiser, cuidarei de você como um irmão, não a abandonarei um instante; hei de curá-la. Então, quando estiver recuperada, você retomará esta vida, se lhe aprouver. Mas estou certo de que haveria de preferir uma existência tranquila que a faria mais feliz e a conservaria bela.

— O senhor pensa assim esta noite, porque tomou vinho; mas não haveria de ter a paciência de que se vangloria.

— Permita-me dizer-lhe, Marguerite, que você esteve doente durante dois meses e que, nesses dois meses, fui diariamente pedir notícias suas.

— É verdade. Mas por que o senhor não subia?

— Porque não a conhecia, então.

— E há cerimônias com uma mulher como eu?

— Há sempre cerimônia com uma mulher. Pelo menos eu penso assim.

— Então o senhor cuidaria de mim?

— Sim.

— Ficaria todos os dias a meu lado?

— Sim.

— E mesmo todas as noites?

— Todo o tempo que não lhe fosse aborrecido.

— Que nome o senhor dá a isso?

— Devotamento.

— E de onde vem esse devotamento?

— De uma simpatia irresistível que tenho por você.

— Então o senhor está apaixonado por mim? Diga logo, é mais simples.

— É possível. Mas, se devo dizer-lhe isso um dia, esse dia não é hoje.

— Seria melhor não o dizer jamais.
— Por quê?
— Porque disso só podem resultar duas coisas.
— Quais são?
— Ou eu não o aceito e o senhor ficará com raiva de mim ou o aceito e nesse caso o senhor terá uma triste amante. Uma mulher nervosa, doente, triste, ou então alegre, de uma alegria mais triste que o sofrimento, uma mulher que deita sangue e gasta cem mil francos por ano. É bom para um velho rico como o duque, mas é mau para um jovem como o senhor e a prova é que todos os amantes jovens que já tive logo me deixaram.

Eu nada respondia; escutava, apenas. Essa franqueza que chegava quase à confissão, essa vida dolorosa que eu entrevia sob o véu dourado que a cobria e de cuja realidade a pobre mulher fugia pela devassidão, embriaguez e insônia, tudo isso me impressionava de tal modo que não encontrava uma palavra para dizer.

— Vamos — continuou Marguerite — estamos dizendo criancices. Dê-me a mão e voltemos à sala. Não se pode saber que impressão causará nossa ausência.

— Volte, se preferir, mas peço-lhe permissão para ficar aqui.
— Por quê?
— Porque sua alegria me faz mal.
— Pois bem, ficarei triste.
— Escute, Marguerite, deixe-me dizer-lhe uma coisa que já lhe disseram, sem dúvida, várias vezes e a que o hábito de ouvir lhe impedirá talvez de dar crédito, mas que não é por isso menos verdadeira, nem eu a repetirei jamais.

— E isso é...? — fez ela com o sorriso que tomam as mães jovens para escutar uma fantasia do filho.

— É que depois que a vi, não sei como nem por quê, você tomou um lugar na minha vida; é que tentei afugentar a sua imagem do meu pensamento e ela voltou sempre; é que hoje, quando voltei a encontrá-la, após passar dois anos sem a ver, você tomou sobre meu coração e meu espírito uma ascendência maior ainda; é que, enfim, agora que você me recebeu, que eu a conheci, que sei de tudo o que há de estranho em seu espírito, você se tornou indispensável para mim e ficarei louco não apenas se você não me amar, mas se não me deixar que a ame.

— Mas, infeliz que o senhor é, vou dizer-lhe o que dizia a sra. D.: o senhor é então muito rico! Então não sabe que gasto seis ou sete mil francos por mês e que essa despesa se tornou necessária à minha vida? Então o senhor não sabe, meu pobre amigo, que eu o arruinaria num piscar de olhos e que sua família o faria interditar, para lhe ensinar a viver com uma mulher como eu? Ame-me muito, como um bom amigo, mas só isso. Venha ver-me, havemos de rir, de conversar, mas não exagere o meu valor, porque não valho grande coisa. O senhor é generoso, tem necessidade de ser amado e é demasiado jovem e sensível para viver no nosso meio. Tome uma mulher casada. Vê bem que sou uma boa moça e lhe falo com franqueza.

— Ora, essa! Que fazem aí? — exclamou Prudence, que não percebêramos aproximar-se, e que aparecia no meio do quarto com os cabelos meio desarrumados e o vestido aberto. Reconheci naquela desordem a mão de Gaston.

— Estamos conversando coisas sérias — disse Marguerite. — Deixe-nos um pouco, que iremos já.

— Bem, bem, conversem, crianças — disse Prudence, retirando-se e fechando a porta, como para sublinhar o tom de voz com que pronunciara as últimas palavras.

— Então está resolvido — recomeçou Marguerite, assim que ficamos a sós —, o senhor não me vai amar.

— Vou partir para longe.

— É tão grave assim?

Eu já avançara demais para recuar e além disso essa mulher me confundia. Essa mistura de alegria, de tristeza, de candura, de prostituição, essa doença mesmo, que deveria desenvolver nela a sensibilidade das impressões assim como a irritabilidade dos nervos, tudo me fazia compreender que, se não dominasse essa natureza negligente e leviana desde a primeira vez, ela estaria perdida para mim.

— Vejamos, então é sério o que o senhor diz!

— Muito sério.

— Mas por que não me disse isso antes?

— Mas quando poderia eu falar?

— No dia seguinte àquele em que me foi apresentado na Ópera Cômica.

— Acho que você me teria recebido muito mal se a tivesse procurado então.

— Por quê?

— Porque me portara estupidamente na véspera.

— Bem, isso é verdade. Mas o senhor já me amava nessa época?

— Já.

— O que não o impediu de ir para casa e dormir com toda a tranquilidade depois do espetáculo. Nós conhecemos esses grandes amores.

— Pois bem, aí está o seu engano. Sabe o que fiz naquela noite?

— Não.

— Esperei por você na porta do Café Inglês. Segui sua carruagem, onde iam você e três amigos, e quando a vi saltar, sozinha, e entrar em casa fiquei imensamente feliz.

Marguerite começou a rir.

— De que está rindo?

— De nada.

— Diga, por favor, senão vou pensar que está rindo de mim outra vez.

— O senhor não vai ficar zangado?

— Com que direito iria zangar-me?

— Pois bem, havia um bom motivo para que eu subisse só.

— Qual era?

— Havia alguém à minha espera aqui.

Foi uma verdadeira punhalada. Nada me teria magoado tanto quanto isso. Levantei-me e estendi-lhe a mão.

— Adeus.

— Bem sabia que o senhor iria ficar zangado. Os homens fazem questão de saber aquilo que os vai ferir.

— Mas eu lhe asseguro — respondi com frieza, como se quisesse provar que estava curado para sempre da minha paixão — que não estou zangado. Era muito natural que houvesse alguém à sua espera, como é muito natural que me retire, às três horas da madrugada.

— Será que também o senhor tem alguém à sua espera em casa?

— Não, mas preciso ir.

— Adeus, então.

— A senhora me despede.

— Em absoluto.

— Por que me castiga?

— Em que foi que o castiguei?

— Disse que havia alguém à sua espera.

— Não pude deixar de rir com a ideia de o senhor ficar tão satisfeito ao me ver entrar sozinha, quando havia um motivo tão bom para que eu o fizesse.

— Sentimos às vezes alegria por um motivo infantil e é maldade destruir essa alegria quando, ao deixá-la subsistir, podemos tornar mais feliz aquele que a sente.

— Mas com quem pensa o senhor que está tratando? Não sou uma virgem nem sou uma duquesa. Só o conheço de hoje e não lhe devo satisfações pelos meus atos. Mesmo admitindo que eu venha um dia a me tornar sua amante, é preciso que se convença de que já tive outros, antes do senhor. Se antes já me faz cenas de ciúme, o que não será depois, se realmente houver esse depois? Nunca vi um homem como o senhor!

— É que nunca foi amada como eu a amo.

— Vamos, seja franco, o senhor me ama muito, mesmo?
— Tanto quanto é possível amar.
— E isso vem desde...
— Desde o dia em que a vi descer de uma caleça e entrar na loja Susse, há três anos.
— Sabe que isso é muito bonito? Muito bem, e que é preciso fazer para agradecer esse grande amor?
— É preciso amar-me um pouco — respondi com uma batida no coração que mal me deixava falar, pois, apesar dos sorrisos meio irônicos com que ela havia acompanhado toda a conversa, me parecia que Marguerite começava a participar da minha emoção e que a hora tão ansiosamente esperada se aproximava.
— Bem, e o duque?
— Que duque?
— Meu velhote ciumento.
— Não saberá de nada.
— E se souber?
— Ele a perdoará.
— Ah, não! Ele me abandonará e então, que será de mim?
— A senhora arrisca-se a esse rompimento por causa de outro.
— Como sabe?
— Pela recomendação que fez, de não permitirem a entrada a mais ninguém hoje à noite.
— É verdade. Mas esse é um amigo sério.
— Por quem nada sente, já que lhe faz fechar a porta a tais horas.
— Não cabe ao senhor repreender-me, pois fiz isso para recebê-los, ao senhor e ao seu amigo.
Pouco a pouco eu me aproximara de Marguerite, passara os braços em volta dela e sentia o seu corpo flexível pesar ligeiramente contra minhas mãos unidas.
— Se soubesse como a amo! — murmurei.
— De verdade?

— Juro.

— Muito bem, se promete cumprir todas as minhas vontades sem uma objeção, sem uma observação, sem me interrogar, talvez eu o ame.

— Tudo o que exigir!

— Mas previno que quero ser livre para fazer o que me agrade, sem lhe dar a menor satisfação de minha vida. Há muito tempo procuro um amante jovem, sem caprichos, apaixonado sem desconfianças, amado sem direitos. Nunca encontrei um. Os homens, ao invés de ficarem satisfeitos porque se concede a eles, durante muito tempo, aquilo que mal poderiam almejar uma única vez, exigem da amante explicações sobre o presente, o passado e até o futuro. À medida que se habituam a ela, querem dominá-la e tornam-se tanto mais exigentes quanto mais recebem. Se me decidir a aceitar um novo amante agora, quero que possua três qualidades bem raras: que seja confiante, submisso e discreto.

— Pois bem, serei o que quiser.

— Veremos.

— E quando nos veremos?

— Mais tarde.

— Por quê?

— Porque — respondeu Marguerite soltando-se dos meus braços e apanhando de um grande buquê de camélias vermelhas, chegado pela manhã, uma flor que me enfiou na botoeira — porque nem sempre se podem executar os tratados no dia em que são assinados.

Era fácil de entender.

— E quando voltarei a vê-la? — perguntei, tomando-a nos braços.

— Quando a camélia mudar de cor.

— E quando mudará de cor?

— Amanhã, de onze horas à meia-noite. Está satisfeito?

— Ainda pergunta?

— Nem uma palavra de tudo isso a seu amigo, nem a Prudence, nem a quem quer que seja.

— Prometo.

— Agora dê-me um beijo e voltemos à sala.

Ela me ofereceu os lábios, tornou a alisar os cabelos e saímos do quarto, ela cantando e eu meio maluco.

No salão ela me disse em voz bem baixa, parando um instante:

— Deve parecer-lhe estranho que eu esteja pronta a aceitá-lo assim de súbito. Sabe por que isso? Isso é porque — continuou ela, tomando minha mão e colocando-a sobre o coração, cujas palpitações repetidas e violentas senti —, como devo viver menos do que as outras, prometi a mim mesma viver mais depressa.

— Não me fale assim, peço-lhe.

— Oh, console-se — respondeu, rindo. — Por pouco tempo que eu tenha de vida, será mais longo do que o seu amor.

E ela entrou cantando na sala.

— Onde está Nanine? — perguntou, ao ver Gaston e Prudence a sós.

— Está dormindo em seu quarto, à espera de que você vá deitar-se — respondeu Prudence.

— A infeliz! Mato-a! Vamos, senhores, retirem-se, já é tarde.

Dez minutos depois Gaston e eu saíamos. Marguerite apertou-me a mão dizendo adeus e ficou com Prudence.

— Pois bem — perguntou Gaston, quando nos afastamos —, que achou de Marguerite?

— É um anjo e estou louco por ela.

— Eu tinha essa impressão. Declarou-se a ela?

— Sim.

— E ela aceitou?

— Não.

— Com Prudence foi diferente.

— Ela aceitou?

— Melhor do que isso meu caro! Ninguém haveria de acreditar, mas ela ainda está muito bem, essa gorda Duvernoy!

Capítulo XI

Nesse ponto da história Armand interrompeu-se.
— Quer fechar a janela? — pediu. — Começo a sentir frio. Enquanto isso vou deitar-me.
Fechei a janela. Armand, que ainda estava muito fraco, tirou o roupão e deitou-se, deixando durante alguns momentos a cabeça repousar no travesseiro como um homem fatigado por uma longa corrida ou agitado por penosas recordações.
— O senhor falou demais — disse eu. — Quer que me retire e o deixe dormir? O senhor me contará o fim da história outro dia.
— Está achando aborrecido?
— Pelo contrário.
— Então vou prosseguir. Se o senhor se retirasse eu não conseguiria dormir.
"Quando entrei em casa — disse ele, sem necessidade de se concentrar, tanto esses detalhes todos estavam presentes ainda em sua memória — não me deitei e fiquei refletindo sobre a aventura desse dia. O encontro, a apresentação, o consentimento de Marguerite, à minha frente, tudo acontecera tão rapidamente, tão inesperadamente, que havia momentos em que eu julgava ter sonhado. Entretanto não

era a primeira vez que uma mulher como Marguerite se prometia a um homem para o dia seguinte àquele em que ele a procurava.

Não me adiantava pensar dessa maneira, pois a primeira impressão produzida pela minha futura amante fora tão forte que resistia a tudo. Obstinava-me a não ver nela uma mulher como as outras e, com a vaidade comum a todos os homens, estava pronto a crer que ela sentia por mim a mesma atração que eu sentia por ela.

E no entanto eu tinha sob os olhos exemplos bem contraditórios e sempre ouvira dizer que o amor de Marguerite chegara à situação de mercadoria, mais ou menos cara conforme a estação do ano.

Mas, por outro lado, como conciliar essa reputação com as recusas consecutivas feitas ao jovem conde que havíamos encontrado em sua casa? O senhor dirá que ele não lhe agradava e que, como era regiamente sustentada pelo duque, para aceitar outro amante ela preferia um que lhe agradasse. Então por que não aceitara Gaston, simpático, espirituoso, rico, e parecia querer a mim, que achara tão ridículo à primeira vista?

É verdade que há incidentes de um minuto que fazem mais do que a corte de um ano.

Fui eu o único dos que se encontravam ceando a se inquietar ao vê-la abandonar a mesa. Acompanhei-a, emocionei-me a ponto de não poder controlar-me. Chorei ao beijar-lhe a mão. Essa circunstância, aliada às minhas visitas diárias durante os dois meses de sua doença, havia podido fazê-la ver em mim um homem diferente daqueles que conhecera até então. E talvez ela tivesse pensado que bem poderia fazer, por um amor que se revelava dessa maneira, aquilo que já fizera tantas vezes, a ponto de não ter mais importância para ela.

Todas essas suposições, como se vê, eram perfeitamente razoáveis. Mas qualquer que fosse o motivo do seu consentimento, uma coisa havia de certo: ela havia concordado.

Eu estava apaixonado por Marguerite, ia tê-la, não poderia exigir mais do que isso. E no entanto, repito, mesmo sendo ela uma cortesã, eu já me tinha de tal modo convencido, talvez para lhe dar valor, de que esse era um amor sem esperança, que à proporção que se aproximava o momento em que não haveria mais necessidade de esperar, mais eu duvidava.

Não fechei os olhos essa noite.

Não me reconhecia. Eu estava meio louco. Quanto mais eu pensava que não era suficientemente belo, suficientemente rico nem suficientemente elegante para possuir tal mulher, mais aumentava minha vaidade ao pensar em tal posse. Depois começava a temer que Marguerite não tivesse por mim mais do que um capricho de poucos dias e, pressentindo a dor de um rompimento imediato, seria talvez melhor, pensava eu, não ir à casa dela essa noite; partir, enviando-lhe uma carta em que revelasse meus temores. Desse pensamento eu pulava para esperanças sem limite, para uma confiança sem justificativas. Tinha sonhos incríveis para o futuro. Achava que essa mulher me iria dever sua cura física e moral, que eu iria passar toda a minha vida a seu lado e que seu amor me faria mais feliz do que o mais virginal amor.

Enfim, não poderia repetir os milhares de pensamentos que subiam do coração à cabeça e que se apagaram aos poucos, quando o sono me dominou, ao romper do dia.

Quando acordei eram duas horas. O dia estava magnífico. Não me parece que a vida me tenha jamais surgido com tanta beleza e plenitude. As lembranças da véspera vinham-me à memória sem sombras, sem obstáculos e alegremente envoltas nas esperanças para a noite. Vesti-me às pressas. Sentia-me feliz e pronto para as boas ações. De vez em quando meu coração pulava, de alegria e amor, dentro de meu peito. Uma doce febre me agitava. Não mais me inquietava com as ideias que me haviam preocupado antes de dormir. Via somente o resultado, sonhava apenas com a hora em que deveria rever Marguerite.

Foi-me impossível ficar em casa. Meu quarto parecia-me pequeno demais para conter minha felicidade. Precisava de toda a natureza para me expandir.

Saí.

Passei pela rua Antin. O *coupé* de Marguerite esperava-a em frente à porta. Dirigi-me para o lado dos Campos Elísios. Amava, mesmo sem conhecer, todas as pessoas que ia encontrando pelo caminho.

Como o amor nos faz bons!

Ao fim de uma hora de passeio dos cavalos de Marly ao círculo e do círculo aos cavalos de Marly, vi ao longe o carro de Marguerite. Não a reconheci, adivinhei que era ela.

No momento de dobrar o ângulo dos Campos Elísios ela mandou parar e um rapaz alto destacou-se de um grupo onde conversava para ir falar-lhe.

Conversaram alguns instantes. O rapaz voltou aos amigos, os cavalos retomaram o passo e eu, que me aproximara do grupo, reconheci no que estivera conversando com Marguerite o conde de G., cujo retrato eu vira e que me fora apontado por Prudence como sendo o homem a quem Marguerite devia sua situação.

Fora a ele que ela havia fechado a porta na véspera. Supus que ela tivesse feito parar o carro a fim de explicar-lhe o motivo desse fato e torci para que, ao mesmo tempo, ela houvesse encontrado algum outro pretexto para não o receber nessa noite.

Não sei o que aconteceu durante o restante do dia. Andei, fumei, conversei, mas o que disse, a quem encontrei, já às dez horas da noite não conseguia lembrar.

Tudo o que recordo é que entrei em casa, passei três horas vestindo-me e olhei cem vezes o relógio da parede e o meu, que infelizmente marchavam juntos.

Quando soaram as dez e meia, achei que já era tempo de sair.

Eu morava nessa época na rua da Província. Segui pela rua Monte-Branco, atravessei a avenida, tomei pela rua Luís-o-Grande, a rua Porto-Mahon e a rua Antin. Deparei com as janelas de Marguerite.

Havia luz.

Toquei a campainha.

Perguntei ao porteiro se a srta. Gautier estava.

Ele respondeu que ela nunca chegava antes das onze, onze e quinze.

Olhei meu relógio.

Julgava ter vindo devagar e não havia levado mais do que cinco minutos da rua da Província à casa de Marguerite.

Fiquei, então, passeando por essa rua sem lojas, deserta àquela hora.

Ao fim de meia hora chegou Marguerite. Desceu do *coupé* olhando em volta como se procurasse alguém.

O carro saiu novamente, a passo, já que a estrebaria e a cocheira não eram naquele local. No momento em que Marguerite ia tocar, aproximei-me e disse:

— Boa noite.

— Ah, é o senhor? — fez ela, num tom de voz que não mostrava grande prazer em me encontrar ali.

— Não me permitiu fazer-lhe uma visita hoje?

— É verdade. Tinha-me esquecido.

Essa frase destruiu todas as minhas ideias da manhã, todas as esperanças que alimentara durante o dia. No entanto eu começava a me habituar com os seus modos e não parti, como o teria, sem dúvida, feito tempos atrás.

Entramos.

Nanine já estava com a porta aberta.

— Prudence já entrou? — perguntou Marguerite.

— Não, senhora.

— Vá dizer-lhe que venha, assim que chegar. Mas antes apague a luz do salão e se aparecer alguém diga que não voltei nem vou voltar.

Era sem dúvida uma mulher preocupada com alguma coisa ou talvez aborrecida com um importuno. Eu não sabia em que pensar, nem o que dizer. Ela dirigiu-se para o quarto de dormir. Fiquei onde estava.

— Venha — chamou.

Tirou o chapéu e o casaco de veludo, que jogou sobre o leito, depois deixou-se cair numa grande poltrona junto ao fogo, que costumava conservar aceso até o começo do verão, e me disse, brincando com a corrente do relógio:

— Muito bem, que me conta de novo?

— Nada, apenas que fiz mal em vir hoje à noite.

— Por quê?

— Porque você parece contrariada e sem dúvida a aborreço.

— O senhor não me aborrece. Apenas estou doente, sofri o dia inteiro, não dormi à noite e tenho uma enxaqueca terrível.

— Quer que me retire para poder deitar-se?

— Oh, pode ficar! Se eu quiser deitar-me, farei isso na sua frente.

Nesse momento tocaram a campainha.

— Quem será agora? — disse ela com um movimento de impaciência.

Pouco depois a campainha soou novamente.

— Não há quem vá atender? Vou ter de ir eu mesma.

Com efeito, levantou-se dizendo:

— Espere aqui.

Atravessou o apartamento e ouvi a porta se abrir. Fiquei à escuta.

A pessoa que entrara parou na sala de refeições. Às primeiras palavras reconheci a voz do conde de N.

— Como passa esta noite? — perguntou ele.

— Mal — respondeu secamente Marguerite.

— Será que estou incomodando?

— É possível.

— Mas como você me recebe! Que fiz eu, minha cara Marguerite?

— Meu caro amigo, você nada fez. Estou doente, preciso deitar-me, de modo que você vai-me fazer o favor de se retirar. É aborrecido não poder entrar em casa sem que o senhor me apareça cinco minutos depois. Que quer? Que eu me torne sua amante? Pois bem, já lhe disse mil vezes que não, que você me irrita horrivelmente, que pode ir procurar outra. Repito-lhe hoje pela última vez: nada quero de você. Estamos explicados, adeus. Pronto, aí está Nanine de volta. Ela o acompanhará. Boa noite.

E sem mais uma palavra, sem ouvir o que balbuciava o rapaz, Marguerite voltou para o quarto e bateu violentamente a porta, pela qual Nanine, por sua vez, entrou quase em seguida.

— Preste atenção — disse Marguerite — você dirá sempre a esse imbecil que não estou ou que não o quero receber. Estou cansada, afinal, de ver sempre pessoas que me vêm pedir a mesma coisa, que me pagam e se julgam quites comigo. Se aquelas que se iniciam nessa nossa vergonhosa profissão soubessem do que se trata, prefeririam ser criadas de quarto. Mas não. A vaidade de ter vestidos, carros, diamantes, entusiasma-nos. Acredita-se naquilo que dizem, pois a prostituição tem a sua fé, e gasta-se pouco a pouco o coração, o corpo, a beleza. Somos caçadas como cervos, desprezadas como párias, cercadas apenas por pessoas que nos tomam mais do que dão e vamos um belo dia morrer como um cão, depois de perder aos outros e de perder a nós mesmas.

— Vamos, senhora, acalme-se — disse Nanine. — A senhora está com os nervos irritados hoje.

— Este vestido me aperta — disse Marguerite fazendo saltar os colchetes do corpete. — Dê-me um roupão. E Prudence?

— Ainda não chegou, mas deixei recado para que venha assim que chegue em casa.

— É outra — continuou Marguerite, tirando o vestido e enfiando o penhoar branco. — Outra que sabe procurar-me quando precisa de mim e que não pode fazer-me um favor de boa vontade. Ela sabe que estou à espera dessa resposta hoje à noite, que preciso dela, que estou inquieta, e tenho certeza de que foi cuidar de si sem se lembrar de mim.

— Talvez ela esteja ocupada.

— Traga ponche para nós.

— Isso vai-lhe fazer mal — censurou Nanine.

— Tanto melhor. Traga também frutas, patê ou uma asa de frango, qualquer coisa. Mas já, que estou com fome.

Dizer que impressão me causava essa cena é inútil. O senhor a imagina, não?

— O senhor ceará comigo — disse ela. — Enquanto espera, escolha um livro. Vou um instante ao toucador.

Ela acendeu as velas de um candelabro, abriu uma porta ao lado do leito e desapareceu.

Quanto a mim, fiquei refletindo sobre a vida dessa mulher e meu amor aumentou em piedade.

Passeava a longos passos pelo quarto, sonhando, quando Prudence entrou.

— Oh, o senhor está aí? Onde está Marguerite?
— No toucador.
— Vou esperá-la. Ela o acha encantador. Sabia disso?
— Não.
— Ela não lhe disse nada sobre isso?
— Nada.
— Como foi que o senhor fez para estar aqui?
— Vim fazer-lhe uma visita.
— À meia-noite?
— Por que não?
— Mentiroso!
— Ela me recebeu até mal.
— A recepção vai melhorar.
— A senhora acha?
— Trago boas notícias.
— Ainda bem. Então ela lhe falou de mim?
— Ontem à noite, ou melhor, esta noite, depois que o senhor saiu com seu amigo. A propósito: como vai ele, o seu amigo? É Gaston R., se não me engano, o seu nome?
— É — respondi, sem poder evitar um sorriso ao me lembrar da confidência que Gaston me fizera e vendo que Prudence mal lhe sabia o nome.
— É muito bonzinho, aquele rapaz. Que faz ele?
— Tem vinte e cinco mil francos de renda.
— É mesmo? Bem, para voltar ao senhor, Marguerite interrogou-me a seu respeito. Perguntou quem era, que fazia, quais foram suas amantes, tudo, enfim, que se pode perguntar sobre um homem da sua idade. Eu disse tudo o que sabia, acrescentando que o achava simpático.

— Agradeço-lhe. Agora me diga, então, que incumbência ela lhe deu ontem.

— Nenhuma. Era para fazer o conde sair, o que ela disse. Mas me deu uma para hoje e é essa a resposta que lhe trago agora.

Neste momento Marguerite saiu do toucador, elegantemente penteada com seu barrete de dormir ornado de tufos de fitas amarelas, chamadas tecnicamente de *choux*.

Estava encantadora.

Tinha os pés nus metidos em pantufas de cetim e terminava o cuidado das unhas.

— Pois bem — disse ela ao ver Prudence — encontrou o duque?

— Como não?

— E que disse ele?

— Entregou.

— Quanto?

— Seis mil.

— Estão aí?

— Sim.

— Ficou contrariado?

— Não.

— Coitado!

Esse "coitado!" foi pronunciado de maneira impossível de reproduzir. Marguerite apanhou as seis notas de mil francos.

— Já era tempo — comentou. — Minha cara Prudence, você está precisando de dinheiro?

— Você sabe, meu bem, que faltam dois dias para o dia quinze. Se você pudesse emprestar-me uns trezentos ou quatrocentos francos seria um favor.

— Mande buscar amanhã de manhã. Já é muito tarde para conseguir troco.

— Não esqueça.

— Fique tranquila. Quer cear conosco?

— Não. Charles espera-me em casa.

— Você continua louca por ele?

— Alucinada, querida! Até amanhã. Adeus, Armand.

A sra. Duvernoy partiu.

Marguerite abriu a cômoda e jogou lá dentro as notas.

— Permita que me deite — disse ela, sorrindo e dirigindo-se ao leito.

— Não só permito como também lhe rogo que o faça.

Ela puxou para o pé da cama a colcha rendada e deitou-se.

— Agora — chamou — venha sentar junto de mim e conversar comigo.

Prudence tinha razão. A resposta que trouxera alegrara Marguerite.

— Perdoa-me o mau humor desta noite? — perguntou ela, tomando-me a mão.

— Estou pronto a perdoar-lhe muito mais.

— E me ama?

— Com loucura.

— Apesar do meu mau caráter?

— Apesar de tudo.

— Jura?

— Juro — respondi baixinho.

Nanine entrou nesse momento com uma bandeja, um frango frio, uma garrafa de *bordeaux*, morangos e dois serviços.

— Não preparei o ponche porque o *bordeaux* é melhor para a senhora — disse Nanine. — Não é, meu senhor?

— Certamente — respondi, ainda emocionado com as últimas palavras de Marguerite e com os olhos ardentemente fixos nela.

— Bem — disse ela — ponha tudo isso sobre a mesinha e traga para perto da cama. Nós mesmos nos vamos servir. Há três noites que você quase não dorme, deve estar com sono. Vá deitar, não preciso de mais nada.

— Devo trancar a porta a chave?

— Sem dúvida! E principalmente não deixe entrar ninguém amanhã antes do meio-dia.

Capítulo XII

Às cinco horas da manhã, quando o dia começava a surgir através das cortinas, Marguerite disse:

— Perdoa-me se te expulso, mas é preciso. O duque vem todos os dias pela manhã. Quando chegar vão dizer que estou dormindo e talvez ele fique esperando que eu acorde.

Tomei nas mãos a cabeça de Marguerite, cujos cabelos desfeitos formavam uma cascata, e lhe dei um último beijo, perguntando:

— Até quando?

— Escuta — respondeu. — Pega essa chavezinha dourada que está sobre a lareira, abre a porta, traze a chave aqui e vai-te. Durante o dia receberás uma carta com minhas ordens, pois sabes que tens de me obedecer cegamente.

— Está bem. E se eu te pedisse alguma coisa desde já?

— O quê?

— Que me deixasses ficar com essa chave.

— Nunca permiti a alguém o que me pedes.

— Pois bem, permite-o a mim, pois juro que não te amo como os outros te amaram.

— Então leva a chave. Mas previno-te de que depende de mim torná-la inútil.

— Por quê?

— A porta tem ferrolhos por dentro.

— Malvada!

— Mandarei tirá-los.

— Então me amas um pouco?

— Não sei como se ama, mas parece-me que sim. Agora vai. Estou caindo de sono.

Ficamos mais alguns segundos nos braços um do outro e depois parti.

As ruas estavam desertas, a grande cidade dormia ainda e um doce frescor passava por esses quarteirões que o ruído dos homens ia invadir dentro de poucas horas.

Parecia-me que a cidade adormecida me pertencia. Procurava na lembrança os nomes daqueles cuja felicidade eu invejara até então. E não conseguia relembrar um só sem me achar mais feliz do que ele.

Ser amado por uma mocinha casta, ser o primeiro a revelar-lhe o estranho mistério do amor é sem dúvida uma grande felicidade, mas é também a coisa mais simples do mundo. Dominar um coração que nunca foi atacado é como entrar numa cidade aberta e sem guarnição. A educação, o sentimento do dever e a família são sentinelas muito fortes, mas não há sentinelas tão vigilantes que não sejam enganadas por uma moça de dezesseis anos a quem, pela voz do homem que ama, a natureza dá os primeiros conselhos de amor que são tanto mais intensos quanto mais puros pareçam.

Mais a mocinha acredita no bem, mais facilmente se abandona, se não ao namorado, pelo menos ao amor; porque, sem ter desconfiança, ela não tem força, e fazer-se amar por ela é um triunfo que qualquer homem de vinte e cinco anos pode obter quando quiser. E tanto isso é verdade que se pode ver como são cercadas as moças de vigilância e amparo. Os conventos não têm muros suficientemente altos, nem as mães têm fechaduras suficientemente fortes, ou religião e deveres suficientemente contínuos para prender todos esses encantadores passarinhos na gaiola, onde nem mesmo se tem o cuidado de colocar flores. Como devem elas, também, desejar esse mundo que lhes é proibido, como o devem achar tentador, como devem dar ouvidos à primeira voz que, através das grades, lhes venha contar os segredos, como devem abençoar a mão que pela primeira vez lhes soerguer um canto do véu misterioso!

Mas ser amado deveras por uma cortesã é realmente uma vitória bem mais difícil. Nela, o corpo gastou a alma, os sentidos queimaram o coração, o desregramento embotou a sensibilidade. As palavras que lhe dizemos ela já conhece há muito tempo, os meios que empregamos são seus velhos conhecidos, o próprio amor que ela inspira já foi vendido. Amam por negócio e não por atração. São mais bem protegidas pelos seus cálculos do que uma virgem pela mãe e pelo convento. Assim, inventaram o nome de capricho para esses amores sem remuneração a que se entregam, de vez em quando, como um repouso, como uma desculpa, ou como um consolo. Assemelham-se a esses usurários que exploram mil indivíduos e pensam tudo compensar, um dia, emprestando vinte francos a um pobre-diabo qualquer, morto de fome, sem cobrar juros nem exigir documentos.

E depois, quando Deus permite a uma cortesã o amor, este, que lhe parece um perdão, torna-se quase sempre para ela um castigo. Não há absolvição sem penitência. Quando uma criatura, cujo passado é censurável, se sente subitamente tomada por um amor profundo, sincero, irresistível, de que jamais se acreditou capaz; quando ela reconhece esse amor, como o homem que é assim amado a domina! Como ele se sente poderoso com o direito de dizer: "Você não fez mais por amor do que fazia por dinheiro."

Então, elas não sabem mais como provar a sinceridade. Um menino, diz a fábula, após divertir-se muitas vezes em um campo a gritar "Socorro!" para importunar os lavradores, foi devorado um dia por um urso, sem que os homens, tantas vezes enganados, acreditassem dessa vez nos seus gritos. Passa-se o mesmo com essas infelizes, quando realmente amam. Tantas vezes mentiram que ninguém mais lhes dá crédito e são, em meio aos seus remorsos, devoradas pelo seu amor.

Daí os grandes devotamentos, os retiros austeros de que algumas nos deram exemplo.

Mas, quando o inspirador dessa paixão redentora tem suficiente generosidade de alma para aceitar o amor, sem lembrar o passado; quando ele se abandona; quando ama, enfim, como é amado, esse homem esposa de uma só vez todas as emoções terrestres e, passado esse amor, seu coração estará fechado a qualquer outro.

Essas reflexões não foram feitas quando entrei em casa, pela manhã. Não teriam sido mais do que o pressentimento do que iria ocorrer e, apesar de todo o meu amor por Marguerite, eu não previa tais consequências. Hoje é que penso assim. Estando tudo acabado, irrevogavelmente, elas surgem com naturalidade de tudo o que se passou.

Mas voltemos ao primeiro dia de nossa ligação. Quando entrei em casa, estava possuído de uma alegria louca. Lembrando-me de que as barreiras colocadas pela minha imaginação entre mim e Marguerite se haviam dissipado, que eu a possuíra, que ocupava um pouco do seu pensamento, que tinha no bolso a chave do apartamento e o direito de usá-la, estava feliz da vida, orgulhoso de mim mesmo e amava a Deus que me permitia tudo isso.

Um dia, um jovem passa pela rua, para ao lado de uma mulher, olha-a, vira-se e segue. Essa mulher, que ele não conhece, tem prazeres, tristezas e amores dos quais ele não tem a menor parcela. Para ela, ele não existe e, se lhe falasse, ela iria, talvez, rir dele como fizera Marguerite comigo. Semanas, meses e anos se passam e, subitamente, depois que cada um seguiu o seu destino por um caminho diferente, a lógica do acaso junta-os novamente, face a face. A mulher torna-se amante do homem, ama-o. Como? Por quê? Suas vidas transformam-se em uma só. Apenas a intimidade começa e já lhes parece ter sempre existido; e tudo o que a precedeu se apaga da memória dos dois amantes. É curioso, convenhamos.

Eu não mais recordava de como vivera até a véspera. Todo o meu ser se alegrava, numa exaltação, ao relembrar as palavras trocadas nessa primeira noite. Ou Marguerite sabia fingir muito bem ou então tinha por mim uma dessas paixões súbitas que se revelam ao primeiro beijo e que, por sinal, às vezes morrem como nasceram.

Quanto mais eu pensava, mais achava que Marguerite não tinha motivo algum para fingir um amor que não sentisse, e concluía, também, que as mulheres têm dois modos de amar, cada um podendo ser o resultado do outro; amam com o coração ou com os sentidos. Frequentemente uma mulher aceita um amante, unicamente para obedecer ao império dos sentidos. Encontra, sem o esperar, o mistério do amor imaterial e passa a viver apenas do seu coração. Também uma moça, sem procurar no casamento mais do que a reunião de duas afeições puras, encontra a revelação repentina do amor físico, essa expressiva conclusão das mais castas impressões da alma.

Dormi envolto nesses pensamentos. Fui acordado por uma carta de Marguerite, que continha os seguintes termos:

> Eis as *minhas ordens: Hoje à noite, no Vaudeville. Venha durante* o *terceiro intervalo.*
>
> M.G.

Guardei o bilhete numa gaveta, a fim de ter sempre a realidade ao alcance da mão no caso de duvidar, como às vezes me acontecia.

Ela não me dizia que a visitasse durante o dia. Não ousei procurá-la. Mas a vontade de revê-la antes da noite era tão grande que fui aos Campos Elísios onde, como na véspera, a vi passar e voltar.

Às sete horas eu estava no Vaudeville.

Nunca entrara tão cedo em um teatro.

Os camarotes todos foram sendo ocupados, um após outro. Um único continuava vazio: o mais próximo ao palco, ao nível da plateia.

Ao começar o terceiro ato, ouvi que se abria a porta daquele camarote, onde tivera os olhos constantemente fixos. Marguerite apareceu.

Veio imediatamente até a frente, procurou-me nas poltronas junto à orquestra e agradeceu-me com um olhar.

Estava maravilhosamente bela, nessa noite.

Seria eu a causa desse cuidado? Amar-me-ia o bastante para pensar que quanto mais a achasse bela mais eu seria feliz? Eu ainda não o sabia, mas se essa tivesse sido a sua intenção triunfara, pois, ao aparecer, as cabeças ondularam umas para as outras e o ator que ocupava o palco chegou a olhar para ver quem perturbava, dessa maneira, os espectadores só com a sua presença.

E eu possuía a chave do apartamento dessa mulher e dentro de três ou quatro horas ela me pertenceria de novo.

Censuram-se os que se arruínam por atrizes ou por cortesãs. O que me espanta é que não façam, por elas, vinte vezes mais loucuras. É preciso haver vivido essa vida, como eu, para saber como essas pequenas vaidades que elas proporcionam, diariamente, aos amantes, lhes soldam fortemente ao coração, já que não temos expressão mais exata, o amor que eles sentem por elas.

Prudence acomodou-se, em seguida, no camarote e um homem, que reconheci como sendo o conde de G., sentou-se ao fundo.

Ao vê-lo, passou-me um frio pelo coração.

Sem dúvida Marguerite percebeu a impressão que me produzira a presença desse homem no seu camarote, porque voltou a sorrir-me e, dando as costas ao conde, pareceu prestar toda a atenção à peça. Ao fim do terceiro ato ela se voltou e disse qualquer coisa. O conde saiu e Marguerite fez-me sinal para ir vê-la.

— Boa noite — disse ela, quando entrei, estendendo a mão.

— Boa noite — respondi, dirigindo-me a Marguerite e a Prudence.

— Sente-se.

— Mas vou tomar o lugar de alguém. Será que o senhor conde não vai voltar?

— Vai. Mandei-o buscar doces para que pudéssemos conversar um instante. A sra. Duvernoy sabe de tudo.

— Sim, meus filhos — disse ela. — Mas fiquem tranquilos; nada direi.

— Que tem você esta noite? — perguntou Marguerite, levantando-se e vindo até a parte sombria do camarote para me beijar na testa.

— Não estou muito bem.

— Você precisa ir para a cama — respondeu com aquele ar irônico tão adequado à sua cabeça bem-feita e inteligente.

— Onde?

— Em sua casa.

— Você sabe muito bem que não conseguirei dormir.

— Então não deve vir aqui fazer pirraça porque viu um homem no meu camarote.

— Não é por isso.

— É sim, eu sei, e você está errado. Portanto, não falemos mais nisso. Depois do espetáculo vá a casa de Prudence e espere lá até eu chamar. Compreendeu?

— Sim.

Será que eu poderia desobedecer?

— Ainda me ama? — perguntou.

— Nem me pergunte.

— Pensou em mim?

— O dia inteiro.

— Sabe que estou verdadeiramente com medo de me apaixonar por você? Pergunte a Prudence.

— Ah! — interferiu a gorda mulher — isso está-se tornando sério.

— Agora você vai voltar à sua poltrona. O conde está para chegar e não vale a pena que ele o encontre.

— Por quê?

— Porque para você é desagradável vê-lo.

— Não. Unicamente se você me dissesse que queria vir ao Vaudeville esta noite, eu poderia ter-lhe reservado este camarote tão bem quanto ele.

— Infelizmente, ele mo reservou sem que eu o pedisse, e se ofereceu para me acompanhar. Você sabe muito bem que eu não podia recusar. Tudo o que eu podia fazer era escrever-lhe dizendo aonde ia para que você me encontrasse e porque eu também queria revê-lo mais cedo. Mas se é assim que me agradece, tomo nota da lição.

— Foi um erro, perdoe-me.

— Está bem. Agora volte direitinho para o seu lugar e sobretudo não seja mais ciumento.

Tornou a beijar-me e saí.

No corredor, encontrei o conde que retornava.

Voltei ao meu lugar.

Afinal, a presença do conde de G. no camarote de Marguerite era a coisa mais natural. Fora amante seu, reservara-lhe um camarote, acompanhava-a ao espetáculo; tudo isso era muito natural. Tendo por amante uma mulher como Marguerite, seria preciso que eu aceitasse os seus hábitos.

Não me senti menos infeliz durante o resto do espetáculo e estava muito triste ao sair, depois de ver Prudence, o conde e Marguerite tomarem a caleça que os esperava.

Entretanto, quinze minutos depois eu estava em casa de Prudence, que acabava de chegar.

Capítulo XIII

— O senhor veio quase tão depressa quanto nós — comentou Prudence.
— É — respondi maquinalmente. — Onde está Marguerite?
— Em casa.
— Só?
— Com o conde de G.
Comecei a andar pela sala, a grandes passadas.
— Ora essa, que tem o senhor?
— A senhora pensa que acho engraçado ter de esperar aqui que o conde de G. saia da casa de Marguerite?
— O senhor não está sendo nada razoável. Compreenda que Marguerite não pode expulsar o conde. O sr. G. já esteve com ela durante bastante tempo e sempre lhe deu muito dinheiro. Ainda dá. Marguerite gasta mais de cem mil francos por ano, tem muitas dívidas. O duque manda o que ela pede, mas ela não tem coragem de lhe pedir sempre tudo o de que precisa. Não pode romper com o conde, que lhe dá uns dez mil francos por ano, pelo menos. Marguerite gosta muito do senhor, meu amigo, mas sua ligação, no interesse de ambos, não

deve ser séria. Não é com os seus sete ou oito mil francos de pensão que o senhor vai sustentar o luxo daquela moça. Não daria sequer para o sustento da carruagem. Aceite Marguerite como é, uma boa moça espirituosa e bela. Seja o seu amante durante um ou dois meses. Dê-lhe flores, doces e camarotes, mas não queira fazer mais do que isso, nem lhe faça cenas de ciúmes ridículos. O senhor sabe muito bem com quem está tratando. Marguerite não é uma virtuosa. O senhor lhe agrada e gosta dela; não se preocupe com o resto. Acho engraçada a sua susceptibilidade! O senhor tem a melhor amante de Paris! Ela o recebe num apartamento magnífico, anda coberta de diamantes, não lhe vai custar um tostão se o senhor quiser, e ainda assim o senhor não está satisfeito. Que diabo! O senhor quer demais!

— Tem razão, mas isso é mais forte do que eu. A ideia de que esse homem é seu amante me faz um mal terrível.

— Antes de tudo — retrucou Prudence — é ele ainda seu amante? É um homem de quem ela necessita, e só. Há dois dias que ela não o recebe. Veio hoje pela manhã e ela não podia deixar de aceitar o camarote nem a sua companhia. Ele a trouxe para casa, subiu um pouco e não vai ficar, porque o senhor está à espera. Tudo isso me parece muito natural. Entretanto, o senhor não aceita facilmente o duque?

— Sim, mas esse é um velho e estou certo de que não é amante de Marguerite. Além disso, pode-se às vezes aceitar uma ligação; não duas. Essa facilidade lembra muito uma premeditação e aproxima o homem que consente nisso, mesmo por amor, daqueles que, numa escala mais baixa, fazem um comércio desse consentimento e tiram lucro desse comércio.

— Ah, meu caro, como o senhor está atrasado! Quantos homens já vi, e dos mais nobres, dos mais elegantes, dos mais ricos, fazendo o que lhe aconselho, e isso sem esforço, sem melindres, sem remorsos! E isso se vê todos os dias. O que haveria o senhor de querer que as cortesãs de Paris fizessem para manter a vida que ostentam se não tivessem três ou quatro amantes de cada vez? Não há fortuna, por mais considerável que seja, capaz de sustentar sozinha as despesas de uma mulher como Marguerite. Uma fortuna que dá quinhentos mil francos de renda é uma fortuna enorme na França. Pois bem, meu caro amigo, quinhentos mil francos de renda não seriam bastantes. Veja só: um homem que ganha isso tem casa montada, cavalos, empregados, carruagens, a caça e os amigos. Geralmente é casado, tem filhos, cavalos de corrida, joga, viaja, que sei eu? Todos esses hábitos são de tal modo considerados que ele não os pode abandonar sem que o julguem arruinado, sem escândalo. No final das contas, com quinhentos mil francos por ano, ele não pode dar a uma mulher mais do que quarenta ou cinquenta mil, e já é muito. Então, outros amores completam a despesa anual da mulher. Com Marguerite é ainda melhor. Por um milagre do céu ela caiu nas graças de um velho com uma fortuna de dez milhões, cuja mulher e cuja filha morreram e só tem sobrinhos ricos; ele lhe dá tudo o que ela quer sem nada exigir em troca. Mas ela não lhe pode pedir mais do que sessenta mil francos por ano e estou certa de que, se ela pedisse mais, apesar da fortuna e do afeto que sente por ela, ele recusaria.

"Todos esses jovens que possuem vinte ou trinta mil libras de renda, em Paris, ou seja, apenas o necessário para viverem no ambiente que frequentam, sabem muito bem, quando se tornam amantes de uma mulher como Marguerite, que ela não poderia sequer pagar o apartamento e os empregados com o que eles lhe dão. Eles não lhe dizem que sabem do que se está passando, dão a impressão de nada perceberem e, quando estão satisfeitos, afastam-se. Se têm a pretensão de arcar com toda a despesa, arruínam-se tolamente e vão deixar-se matar na África após haver deixado cem mil francos de dívidas em Paris. Acredita que a mulher lhes seja agradecida? De modo algum. Pelo contrário, ela diz que lhes sacrificou a posição e que, enquanto estava com eles, perdeu dinheiro. Ah! O senhor acha vergonhosos esses detalhes, não? São verdadeiros. O senhor é um homem encantador, a quem estimo de todo o coração. Vivo há vinte anos no meio das cortesãs, sei o que são e o que valem e não desejaria vê-lo tomar a sério um capricho de mulher bonita.

"E depois, além disso — continuou Prudence — admitamos que Marguerite o ame suficientemente para renunciar ao conde e ao duque, no caso de este vir a saber do que existe entre ela e o senhor e exigir que ela se decida por um dos dois. É incontestável que o sacrifício dela seria enorme. Que sacrifício igual poderia o senhor fazer-lhe? Quando a saciedade chegasse; quando, enfim, o senhor não a quisesse mais, que poderia fazer para compensá-la do que a fizera perder? Nada. O senhor a teria isolado do ambiente onde estão sua fortuna e seu futuro, ela lhe teria consagrado seus mais belos anos e estaria esquecida. Ou o senhor agiria, nesse momento, como um tipo ordinário, jogando-lhe à face o passado, dizendo-lhe que ao abandoná-la não estaria fazendo mais do que os outros amantes, e a abandonaria a uma miséria inevitável. Ou o senhor seria um homem honesto, acreditando-se forçado a mantê-la ao seu lado, e encontraria forçosamente a infelicidade, porque essa união, admissível para um jovem, não o é para um homem maduro. Torna-se um obstáculo a tudo, não permite a formação da família nem a ambição, esses dois segundos e últimos amores do homem. Acredite pois em mim, meu amigo; aceite as coisas pelo que elas valem, as mulheres pelo que são e nunca dê a uma cortesã o direito de se dizer credora sua, seja do que for.

Tudo isso era sensato, razoável e de uma lógica de que eu acreditava Prudence incapaz. Não encontrava resposta, a não ser para lhe dar razão. Estendi-lhe a mão e agradeci-lhe os conselhos.

— Vamos, vamos — disse ela — esqueça essas teorias tristes e ria. A vida é bela, meu caro; tudo depende da cor do vidro através do qual ela é olhada. Veja, converse com seu amigo Gaston. Eis um que me parece encarar o amor como eu o compreendo. O que o senhor precisa lembrar, sob pena de se tornar um companheiro insípido, é que há aqui ao lado uma bela mulher que espera impacientemente a partida do homem que está com ela, que pensa no senhor, que lhe reserva a sua noite e que o ama, disso estou certa. Agora, venha comigo à janela e apreciemos a partida do conde, que não tarda a nos ceder o lugar.

Prudence abriu uma janela e ficamos lado a lado, com os cotovelos sobre o parapeito.

Ela observava os raros transeuntes. Eu sonhava.

Tudo o que me havia dito turbilhonava-me dentro da cabeça e eu não podia deixar de lhe dar razão; mas o sincero amor que eu sentia por Marguerite tinha dificuldade em se acomodar àquele raciocínio. De modo que, de vez em quando, eu dava uns suspiros que faziam Prudence virar-se e dar de ombros como um médico que perde a esperança com um doente.

"Como se percebe que a vida deve ser breve — pensava eu — pela rapidez das sensações! Conheço Marguerite há apenas dois dias, tornou-se minha amante ontem, e de tal modo já invadiu meu pensamento, meu coração e minha vida, que a visita do conde de G. é para mim uma infelicidade."

Afinal o conde apareceu, subiu no carro e partiu. Prudence fechou a janela.

Ao mesmo tempo Marguerite nos chamava:

— Venham logo, a mesa está sendo posta — anunciava ela — vamos cear.

Quando entrei Marguerite correu para mim, saltou-me ao pescoço e me abraçou com toda a força.

— Ainda estamos de cara feia? — perguntou.

— Não, isso passou — respondeu Prudence. — Passei-lhe um sermão e ele prometeu comportar-se.

— Ainda bem!

Contra minha vontade dirigi o olhar para o leito. Estava ainda arrumado. E Marguerite já se achava com o penhoar branco.

— Sentamo-nos à mesa.

Encanto, doçura, afabilidade, tudo Marguerite possuía, e de vez em quando eu me via forçado a reconhecer que não tinha o direito de lhe exigir mais, que muitos estariam felizes no meu lugar e que, como o pastor de Virgílio, não me cabia senão gozar os favores que um deus, ou melhor, uma deusa, me concedia.

Tentei pôr em prática as ideias de Prudence e fazer-me tão alegre quanto as minhas companheiras, mas o que nelas era natural, em mim representava um esforço e meu riso nervoso, que as iludia, estava bem próximo das lágrimas.

Terminou enfim a ceia e fiquei a sós com Marguerite. Ela foi, como era hábito seu, sentar-se no tapete, em frente ao fogo, olhando com expressão triste as chamas.

Ela pensava! Em quê? Ignoro. Por minha vez, eu a olhava, observava-a com amor e quase com terror, refletindo no que estava pronto a sofrer por ela.

— Sabe em que eu estava pensando?

— Não.

— Em uma ideia que tive.

— E que ideia é essa?

— Não lhe posso revelar ainda o que é; mas posso dizer-lhe em que resultaria. Aconteceria que daqui a um mês eu estaria livre, não teria mais dívidas e iríamos passar o verão juntos, no campo.

— E você não pode dizer-me de que maneira?

— Não. É preciso apenas que você me ame como eu o amo, e tudo sairá bem.

— E essa ideia é somente sua?

— É.

— E você a executará sozinha?

— Somente eu sofrerei os aborrecimentos — disse Marguerite com um sorriso que nunca esquecerei — mas os benefícios serão para nós dois.

Não pude deixar de enrubescer à palavra "benefícios". Lembrava-me Manon Lescaut gastando com Des Grieux o dinheiro do senhor de B...

Respondi com um pouco de rudeza, levantando-me:

— Você me permitirá, querida Marguerite, que eu só participe dos benefícios de empresas que eu mesmo conceba e explore.

— O que quer dizer com isso?

— Que tenho fortes suspeitas de que o sr. conde de G. seja seu sócio nessa empresa, da qual não aceito nem obrigações nem benefícios.

— Você é infantil. Pensei que me amasse e enganei-me. Está bem.

Ao mesmo tempo, levantou-se, abriu o piano e começou a tocar o "Convite à Valsa", até aquela famosa passagem em sustenidos que a confundia sempre.

Seria por hábito ou para me recordar o dia em que nos conhecemos? Tudo o que sei é que com aquela melodia as lembranças me vieram e, aproximando-me dela, tomei-lhe a cabeça entre as mãos e beijei-a.

— Perdoa-me? — perguntei.

— Claro que sim — respondeu. — Mas veja bem que estamos apenas no segundo dia e já tenho que lhe perdoar algo. Você cumpre muito mal suas promessas de obediência cega.

— Que quer, Marguerite? Eu a amo demais, tenho ciúme do menor pensamento seu. O que você me propôs, ainda agora, me deixou louco de alegria; mas o mistério que precede a execução do projeto constrange-me o coração.

— Vamos raciocinar um pouco — continuou ela, segurando-me as mãos e olhando-me com um sorriso encantador a que me era impossível resistir. — Você me ama, não é? E se sentiria feliz em passar três ou quatro meses só comigo, no campo. Eu também seria feliz com essa solidão a dois. Não apenas ficaria contente, como também isso é necessário à minha saúde. Não posso afastar-me de Paris por tanto tempo sem regularizar meus assuntos e os assuntos de uma mulher como eu são sempre muito complicados. Pois bem, encontrei o meio de conciliar tudo, meus assuntos e meu amor por você. Sim, por você, não ria; tenho a loucura de amá-lo! E agora, você se dá ares de importante e me diz frases sonoras. Menino, três vezes menino, lembre-se apenas de que o amo e não se preocupe com coisa alguma. Está combinado, assim?

— O que você quiser está resolvido, você bem sabe disso.

— Então, em menos de um mês estaremos num lugarejo qualquer, passeando à margem do rio tomando leite. Parece-lhe estranho que eu, Marguerite Gautier, fale desse modo? Isso acontece, meu amigo, porque essa vida de Paris, que parece trazer-me a felicidade, não me atrai, aborrece-me e então me vem subitamente o desejo de uma vida mais calma, que me lembre a infância. Sempre se tem uma infância, seja qual for o nosso destino depois. Oh, fique tranquilo; não vou dizer que sou filha de um coronel reformado e que fui educada em Saint-Denis. Sou uma pobre camponesa que seis anos atrás não sabia escrever o próprio nome. Passou o susto, não? Por que será você o primeiro a quem peço partilhar da alegria desse desejo que me veio? Sem dúvida porque compreendi que você me ama por mim e não por você, enquanto os outros apenas me amavam por eles.

"Já estive muitas vezes no campo, mas nunca como teria querido ir. É com você que conto para essa felicidade simples, portanto não seja malvado e conceda o que peço. Pense assim: 'Ela não viverá muitos anos e um dia ainda hei de me arrepender por não lhe ter dado a primeira coisa que me pediu e que era tão fácil de fazer.'"

— Que poderia eu responder a tais palavras, ainda mais com a recordação da primeira noite de amor e na expectativa da segunda?

Uma hora mais tarde eu tinha Marguerite nos braços e se ela me tivesse pedido que cometesse um crime eu teria obedecido.

Às sete horas da manhã eu lhe disse, antes de partir:

— Até a noite?

Ela me abraçou com mais força, mas não me respondeu.

Durante o dia recebi uma carta com as seguintes palavras:

"Querida criança, estou adoentada e o médico ordenou-me repouso. Vou deitar-me mais cedo esta noite e não o verei. Mas, como recompensa, espero-o amanhã ao meio-dia. Amo-o."

Minha primeira ideia foi: ela me engana!

Um suor gelado molhou-me a fronte, pois eu amava demais essa mulher para que tal suspeita não me transtornasse.

E no entanto eu deveria esperar uma coisa dessas quase diariamente da parte de Marguerite, como frequentemente me acontecera com outras amantes, sem que tal fato me tivesse preocupado muito. De onde viria então o domínio que essa moça tinha sobre mim?

Pensei, já que tinha sua chave, em ir vê-la como de costume. Desse modo saberia logo a verdade e, se encontrasse algum homem, dar-lhe-ia umas bofetadas.

Enquanto esperava, fui aos Campos Elísios. Passei quatro horas lá. Ela não apareceu. À noite fui a todos os teatros a que ela costumava comparecer. Não estava.

Às onze horas fui à rua Antin.

Não havia luz nas janelas de Marguerite. Toquei a campainha.

O porteiro perguntou aonde eu ia.

— Ao apartamento da srta. Gautier.

— Ela ainda não chegou.

— Esperarei em cima.

— Não há ninguém lá.

Essa dificuldade, evidentemente, eu poderia resolver com a chave que possuía, mas temi um escândalo ridículo e saí.

Somente, não voltei para casa. Não conseguia afastar-me da rua e não tirava os olhos da casa. Tinha a impressão de que havia algo ainda, que eu precisava saber, ou pelo menos que minhas suspeitas seriam confirmadas.

Perto da meia-noite um *coupé*, que eu conhecia bem, parou em frente ao número 9.

O conde de G. saltou e entrou na casa, após ter mandado embora a viatura.

Por um momento esperei que, como me acontecera, lhe dissessem que Marguerite não estava e que eu o fosse ver sair. Mas, às quatro horas da manhã, eu esperava ainda.

Muito sofri nestas três últimas semanas, mas acho que isso não é nada comparado ao meu sofrimento daquela noite.

Capítulo XIV

Tendo chegado à minha casa comecei a chorar como um menino. Não há homem que não tenha sido enganado pelo menos uma vez e que não saiba o que se sofre.

Achei, sob o peso dessas resoluções febris que a gente se julga sempre capaz de cumprir, que era necessário romper imediatamente e esperei com impaciência o dia para ir comprar a minha passagem a fim de voltar para perto de meu pai e de minha irmã, duplo amor em que confiava e que jamais me enganaria.

No entanto, não queria partir sem que Marguerite soubesse bem por que eu partia. Só um homem cuja paixão pela amante realmente acabou a abandona sem lhe escrever.

Fiz e refiz vinte cartas em pensamento.

Fora amante de uma mulher igual a todas as outras cortesãs, fizera dela uma ideia demasiado poética, ela me tratara como se eu fosse um estudante, empregando, para enganar-me, um ardil de uma simplicidade insultante, eis tudo. Meu amor-próprio veio à tona, então. Era preciso abandonar essa mulher sem lhe dar a satisfação de saber que o rompimento me fazia sofrer, e eis o que lhe escrevi com minha letra mais elegante e lágrimas de raiva e de pesar nos olhos:

Minha cara Marguerite,

Espero que sua indisposição de ontem tenha sido coisa passageira. Fui às onze horas da noite pedir notícias suas e me disseram que você ainda não havia chegado. O conde de G. foi mais feliz do que eu, porque, aparecendo poucos minutos depois, estava ainda em sua casa às quatro horas da manhã.

Perdoe-me pelas horas de tédio que lhe proporcionei e fique certa de que jamais esquecerei os momentos felizes que lhe devo.

Gostaria de poder fazer-lhe uma visita hoje, mas pretendo voltar para junto do meu pai.

Adeus, minha cara Marguerite. Não sou suficientemente rico para amá-la como eu o desejaria, nem suficientemente pobre para amá-la como você deseja. Esqueçamos, portanto: você, um nome que lhe deve ser quase indiferente; e eu, uma felicidade que se me torna impossível.

Devolvo-lhe sua chave, que nunca me serviu, mas que poderá ser-lhe útil se você ficar outras vezes doente como ontem.

Note que não tive coragem de terminar a carta sem uma ironia inconveniente, o que mostra como eu ainda estava apaixonado.

Li e reli dez vezes a carta e a ideia de que iria causar sofrimento a Marguerite acalmou-me um pouco. Tentei fortalecer-me com os sentimentos contidos na carta e, quando meu empregado entrou, às oito horas, mandei levá-la imediatamente.

— Devo esperar resposta? — perguntou Joseph (meu empregado chamava-se Joseph, como todos os empregados).

— Se perguntarem se há resposta você dirá que não sabe e ficará esperando.

Agarrava-me à esperança de que ela iria responder-me.

Pobres e fracos que somos!

Durante todo o tempo que meu empregado levou fora, fiquei numa agitação extrema. E logo, recordando como Marguerite se havia entregado a mim, me perguntei que direito tinha eu de lhe escrever uma carta inoportuna, quando ela me podia responder que não era o conde G. que me enganava, e sim eu que enganava o conde, raciocínio que permite a muitas mulheres ter vários amantes. Ao mesmo tempo, lembrando suas promessas, tentava convencer-me de que a carta ainda fora demasiado gentil e que não havia palavras suficientemente fortes para punir uma mulher capaz de rir de um amor tão sincero quanto o meu. Depois, pensava que teria sido melhor não lhe ter escrito, ir à casa dela durante o dia e, desse modo, gozar as lágrimas que lhe teria causado.

Por fim, eu imaginava qual seria sua resposta, já pronto a acreditar na desculpa que desse.

Joseph voltou.

— Então? — perguntei.

— A srta. Gautier — respondeu ele — dormia ainda. Mas, assim que chamar a empregada, esta lhe levará a carta e se houver resposta será enviada para aqui.

Ela dormia!

Vinte vezes estive a ponto de mandar buscar a carta, mas pensava sempre:

— Talvez já lhe tenham entregado a carta e eu iria dar a impressão de estar arrependido.

Quanto mais se aproximava a hora em que ela devia responder-me, mais me arrependia de lhe ter escrito.

Dez horas, onze horas, meio-dia.

Ao meio-dia estive quase comparecendo ao encontro marcado, como se nada houvesse acontecido. Enfim, eu não sabia o que fazer para fugir ao círculo de ferro que me oprimia.

Então, pensei, com a superstição dos que esperam, que se eu saísse um pouco encontraria na volta a resposta. As respostas esperadas com ansiedade sempre chegam quando não se está em casa.

Saí sob pretexto de almoçar.

Em vez de comer no Café Foy, na esquina da avenida, como costumava fazer, preferi ir ao Palais-Royal, passando pela rua Antin. Cada vez que via ao longe uma mulher, acreditava ver Nanine trazendo uma mensagem. Passei pela rua Antin sem sequer encontrar um mensageiro. Cheguei ao Palais-Royal, entrei no Véry. O garção fez-me comer, ou melhor, serviu-me o que quis, pois não comi.

Mesmo contra a vontade, meus olhos dirigiam-se sempre para o relógio.

Voltei, certo de que encontraria uma carta de Marguerite.

O porteiro nada recebera. Havia ainda a esperança do empregado. Este não falara a ninguém, depois de minha saída.

Se Marguerite fosse responder-me já o teria feito há muito.

Passei então a lamentar os termos da carta. Devia ter ficado quieto, o que sem dúvida tê-la-ia forçado a tomar alguma providência que lhe diminuísse a inquietação. Ao ver que eu faltara ao encontro marcado na véspera ela ter-me-ia pedido explicações e só então eu as deveria ter dado. Desse modo, ela não teria outro jeito senão pedir desculpas e o que eu queria era que ela se desculpasse. Sentia já que acreditaria em qualquer coisa que ela dissesse e preferia tudo a não mais a ver.

Cheguei a crer que ela viria, em pessoa, à minha casa, mas as horas se passaram sem que ela aparecesse.

Decididamente, Marguerite não era como todas as mulheres, pois poucas há que, recebendo uma carta como aquela que eu lhe havia enviado, não respondessem alguma coisa.

Às cinco horas corri aos Campos Elísios.

"Se a encontro", pensei, "fingirei um ar de indiferença e ela se convencerá de que não penso mais nela."

Na volta da rua Royale vi-a passar de carro. O encontro foi tão repentino que empalideci. Não sei se reparou na minha emoção. Eu, porém, fiquei tão transtornado que apenas vi o seu carro.

Não continuei meu passeio pelos Campos Elísios. Observei os cartazes dos teatros, pois seria uma possibilidade de vê-la.

Havia uma primeira apresentação no Palais-Royal. Na certa Marguerite compareceria.

Às sete horas eu estava no teatro.

Todos os camarotes foram sendo ocupados, mas Marguerite não apareceu.

Deixei, portanto, o Palais-Royal e entrei em todos os teatros que ela costumava frequentar mais comumente: o Vaudeville, o Variedades e a Ópera Cômica.

Não estava em parte alguma.

Ou minha carta lhe causara um sofrimento grande demais para que ela pensasse no espetáculo, ou então ela temia encontrar-se comigo e queria evitar uma explicação.

Era isso o que a minha vaidade me segredava na avenida, quando encontrei Gaston, que me perguntou de onde eu vinha.

— Do Palais-Royal.

— E eu da Ópera — disse ele. — Pensei encontrá-lo lá.

— Por quê?

— Porque Marguerite estava lá.

— Ah, estava?

— Sim.

— Só?

— Não, com uma das amigas.

— Só as duas?

O conde de G. apareceu por um instante no camarote, mas ela se retirou com o duque. A cada instante eu esperava ver você. Havia a meu lado uma poltrona que ficou vazia o tempo todo e julguei que fosse sua.

— Mas por que haveria eu de ir aonde Marguerite vai?
— Porque você é o amante dela, ora essa!
— E quem lhe disse isso?
— Prudence, que encontrei ontem. Felicito-o, meu amigo, é uma bela amante; não há outra igual. Fique com ela, que vale a pena.

Essa conversa simples com Gaston mostrou-me como eram ridículas minhas suspeitas.

Se o tivesse encontrado na véspera e ouvisse dele, então, essas palavras, não teria escrito aquela carta tola.

Estive quase indo à casa de Prudence para mandá-la dizer a Marguerite que eu lhe queria falar, mas temi que por vingança ela se recusasse a me receber e voltei para minha casa, passando pela rua Antin.

Perguntei novamente ao meu porteiro se havia carta para mim. Nada!

"Na certa ela quer ver se eu tomarei outra atitude e se pedirei desculpas pela carta de hoje", pensei ao me deitar. "Mas ao ver que eu não escrevo, ela haverá de me enviar uma carta amanhã."

Foi à noite, principalmente, que me arrependi de tudo o que fizera. Estava só em casa, sem poder dormir, devorado de inquietações e de ciúme, quando, se tivesse deixado as coisas seguirem seu caminho normal, estaria ao lado de Marguerite, ouvindo dela as expressões encantadoras que ouvira apenas duas vezes e que me queimavam os ouvidos na solidão.

O que havia de pior na situação em que me achava era que o raciocínio me tirava a razão. Na verdade, tudo indicava que Marguerite me amava. Primeiro, o projeto de passar o verão a sós comigo, no campo; depois, a certeza de que nada a forçava a ser minha amante, uma vez que minha fortuna era insuficiente para as suas necessidades e mesmo para os seus caprichos. Não houvera da parte dela, por isso, mais do que a esperança de encontrar em mim uma afeição sincera, capaz de a recuperar dos amores mercenários no meio dos quais vivia. E apenas no segundo dia eu destruíra essa esperança e pagava com ironia descabida o amor que eu aceitara por duas noites. O que eu fizera era, portanto, mais do que ridículo; era indelicado. Teria eu pelo menos pago àquela mulher, para ter o direito de lhe censurar a vida? Não apresentaria eu a aparência, ao me retirar já no segundo dia, de um parasita do amor que teme receber a conta do jantar? Mas como! Conhecia Marguerite havia trinta e seis horas. Havia vinte e quatro era seu amante, e me fazia de suscetível. Em lugar de me considerar feliz porque ela me incluía na partilha, queria tudo para mim, queria constrangê-la a romper de um golpe com todas as relações do passado que eram os rendimentos do seu futuro. Que lhe podia eu censurar? Nada. Escrevera-me, dizendo estar adoentada, quando poderia ter dito cruamente, com a horrível franqueza de certas mulheres, que precisava receber um amante. E em lugar de acreditar em sua carta, em vez de ir passear em todas as ruas de Paris, menos na rua Antin, em lugar de passar a noite com amigos e procurá-la no dia seguinte, à hora que me indicara, fiz-me de Otelo, espionei e julguei puni-la não mais a vendo. Mas ela, pelo contrário, devia ter ficado satisfeitíssima com o rompimento. Devia achar-me completamente idiota e o seu silêncio não era sequer rancor, era desdém.

 Deveria ter dado, então, a Marguerite um presente que não lhe deixasse dúvidas quanto à minha generosidade e que me permitisse, ao tratá-la como uma cortesã, considerar-me desobrigado com ela. Mas, se eu tivesse acreditado que ofenderia, com a mais leve impressão de comércio, senão o amor que ela sentia por mim, pelo menos o que eu tinha por ela, e já que esse amor era tão puro que não admitia a partilha, não poderia pagar com um presente, por mais belo que fosse, a felicidade que lhe haviam concedido, por mais breve que tivesse sido.

Era o que eu repetia a mim mesmo à noite e o que a cada momento eu estava quase indo dizer a Marguerite.

Quando despontou o dia eu ainda não dormira. Estava febril e era-me impossível pensar em outra coisa que não Marguerite.

Compreenda-me, era preciso tomar uma atitude definitiva. Ou romper de vez com a mulher ou então abandonar os meus escrúpulos, se ela ainda consentisse em me receber.

Mas, como o senhor sabe, sempre se retarda uma decisão final. Assim, não podendo ficar em casa e não tendo coragem de me apresentar em casa dela, tentei um modo de me aproximar, modo que o meu amor-próprio poderia levar à conta de sorte, no caso de dar certo.

Eram nove horas. Fui à casa de Prudence, que me perguntou a que devia a visita matinal.

Não ousei dizer francamente o que me levara. Respondi-lhe que saíra cedo para comprar uma passagem na diligência de C., onde morava meu pai.

— O senhor é muito feliz — disse ela — em poder trocar Paris por aquele clima tão bom.

Observei Prudence, perguntando-me se ela não estaria divertindo-se comigo.

Mas sua fisionomia estava séria.

— Vai despedir-se de Marguerite? — perguntou, sempre séria.
— Não.
— Faz bem.
— Acha?
— Naturalmente. Desde que já rompeu com ela, para que voltar a vê-la?
— A senhora sabe então do rompimento?
— Ela mostrou-me a carta.
— E que disse?

— Ela disse: "Minha cara Prudence, seu protegido não é gentil. Essas cartas se pensam, não se escrevem."

— E com que tom de voz ela disse isso?

— Rindo. Depois continuou: "Ele ceou duas vezes comigo e não me faz sequer a visita da digestão."

Eis aí que efeito tiveram minha carta e meus ciúmes. Senti-me cruelmente humilhado na vaidade do meu amor.

— E que fez ela ontem à noite?

— Foi à Opera.

— Disso eu sei. E depois?

— Ceou em casa.

— A sós?

— Com o conde de G., penso eu.

Portanto, o rompimento em nada alterara os hábitos de Marguerite.

É por isso que às vezes nos dizem: "Você não devia mais pensar naquela mulher que não o amava."

— Então estou muito satisfeito de ver que Marguerite não ficou desolada por minha causa — comentei com um sorriso forçado.

— Ela tem toda a razão. O senhor fez o que devia; foi mais razoável do que ela, pois essa moça o amava. Ela não fazia mais do que falar no senhor e seria capaz de qualquer loucura.

— Por que não me respondeu, já que me ama?

— Porque compreendeu que fazia mal em amar. Além disso, as mulheres às vezes permitem que iludam o seu amor, mas nunca que firam seu amor-próprio. E sempre se fere o amor-próprio de uma mulher quando, dois dias após se tornar o seu amante, se rompe com ela, sejam quais forem as razões apresentadas para o rompimento. Conheço Marguerite; ela preferiria morrer a responder.

— Então que devo fazer?

— Nada. Ela o esquecerá, o senhor a esquecerá e nada terão a censurar um ao outro.

— Mas, se eu lhe escrevesse, pedindo perdão?
— Não faça isso, porque ela lhe perdoaria.
Estive a ponto de abraçar Prudence.
Quinze minutos mais tarde eu estava em casa, escrevendo a Marguerite:

>*Alguém que se arrepende de uma carta que escreveu ontem e que partirá amanhã se a senhora não lhe perdoar, desejaria saber a que horas poderá depor o arrependimento aos seus pés.*
>
>*Quando a encontrará a sós? Pois, como sabe, as confissões devem ser feitas sem testemunhas.*

Dobrei essa espécie de madrigal em prosa e enviei-o por Joseph, que entregou a carta diretamente às mãos de Marguerite, que lhe dissera que responderia depois.

Não saí senão um instante para jantar e às onze horas da noite não havia resposta ainda.

Resolvi não sofrer mais e partir no dia seguinte.

Em consequência de tal resolução, convencido de que não dormiria se me deitasse, comecei a fazer as malas.

Capítulo XV

Havia quase uma hora que Joseph e eu preparávamos tudo para a partida, quando a campainha soou violentamente.

— Devo abrir? — perguntou Joseph.

— Abra — ordenei, imaginando quem poderia vir a tais horas da noite e não ousando pensar que pudesse ser Marguerite.

— Senhor — disse Joseph ao voltar — são duas senhoras.

— Somos nós, Armand — exclamou uma voz que reconheci como sendo a de Prudence.

Saí do quarto.

Prudence, de pé, observava algumas curiosidades no meu salão. Marguerite, sentada no sofá, pensava.

Quando entrei fui até ela, ajoelhei-me, tomei-lhe as mãos e disse, completamente emocionado:

— Perdoe-me.

Ela beijou-me a fronte e disse:

— Já é a terceira vez que perdoo.

— Eu ia partir amanhã.

— Em que minha visita lhe pode alterar a resolução? Não vim para impedir-lhe de deixar Paris. Vim porque não tive tempo, durante o dia, de lhe responder e não queria que me julgasse zangada. E também Prudence não queria que eu viesse. Achava que eu talvez viesse perturbar.

— Você me perturbar, Marguerite? Como?

— Ora! Você poderia estar com uma mulher em casa — respondeu Prudence — e não seria nada divertido para ela ver aparecerem mais duas.

Enquanto Prudence dizia isso Marguerite me observava atentamente.

— Minha cara Prudence — respondi — a senhora não sabe o que diz.

— Mas é muito bonitinha a sua casa — disse Prudence. — Pode-se ver o quarto?

— Pode.

Prudence entrou no quarto, menos para conhecê-lo do que para reparar a tolice que acabava de dizer e deixar-nos a sós, Marguerite e eu.

— Por que trouxe Prudence? — perguntei.

— Porque estava comigo no teatro e porque queria alguém que me acompanhasse ao sair daqui.

— E eu, não estou aqui?

— Sim, mas além de não querer incomodá-lo, eu tinha a certeza de que indo até minha porta você ia querer subir e como eu não poderia consentir, não queria que você partisse com o direito de me censurar uma recusa.

— E por que eu não poderia subir?

— Porque sou muito vigiada e a menor suspeita pode prejudicar-me muito.

— A razão é só essa?

— Se houvesse outra, eu lhe diria. Não estamos mais em situação de ter segredos um para o outro.

— Olhe, Marguerite, não quero dar uma porção de voltas para chegar ao que preciso dizer-lhe. Com sinceridade, você me ama um pouco?

— Muito.

— Então por que me enganou?

— Meu amigo, se eu fosse a duquesa de tal, com cem mil libras de renda, fosse a sua amante e tivesse outro amante além de você, você teria o direito de me perguntar por que eu o engano. Mas sou a srta. Gautier, tenho quarenta mil francos de dívidas, nem um tostão de fortuna e gasto cem mil francos por ano. Sua pergunta se torna ociosa e minha resposta inútil.

— Está certo — disse eu, deixando cair a cabeça sobre os joelhos de Marguerite — mas é que a amo como um louco.

— Pois bem, meu amigo, seria melhor que me amasse um pouco menos e me compreendesse um pouco mais. Sua carta me magoou muito. Se eu fosse livre, em princípio não teria recebido o conde anteontem ou então, tendo-o recebido, viria imediatamente pedir-lhe o perdão que você me exigia e, no dia seguinte, não teria outro amante senão você. Acreditei por um momento que pudesse ter essa felicidade durante seis meses. Você não o quis, fez questão de conhecer os meios. Meus Deus! Os meios eram fáceis de adivinhar. Era um sacrifício, maior do que você pensa, empregá-los. Poderia ter dito a você: preciso de vinte mil francos. Você estava apaixonado por mim, teria conseguido o dinheiro, mesmo com o risco de mais tarde censurar-me. Preferi não lhe pedir coisa alguma. Você não compreendeu essa delicadeza, pois realmente foi isso. Nós, quando ainda temos um pouco de coração, damos às palavras e às coisas uma extensão e um desdobramento desconhecidos das outras mulheres. Repito, pois, que da parte de Marguerite Gautier o meio que ela encontrou de pagar as dívidas, sem lhe pedir o dinheiro necessário para isso, era uma delicadeza que você deveria aceitar sem nada dizer. Se você só me tivesse conhecido hoje, estaria mais do que satisfeito com o que eu prometesse e não me perguntaria o que fiz anteontem. Nós somos às vezes forçadas a comprar uma satisfação para o espírito às custas do corpo e sofremos muito mais quando, depois, a satisfação nos foge.

Eu ouvia e fitava Marguerite com admiração. Quando eu pensava que essa criatura maravilhosa, de quem outrora eu mal ousaria beijar os pés, consentia em me fazer participar de qualquer maneira de seus pensamentos, em me conceder um lugar em sua vida, e que eu não mais me contentava com o que ela me concedia, então eu me perguntava se o desejo do homem tem limites quando, satisfeito tão prontamente como o fora o meu, ele vai sempre em busca de outra coisa.

— É verdade. — continuou ela. — Nós, criaturas do acaso, temos desejos fantásticos e amores inconcebíveis. Entregamo-nos tanto por uma coisa como pela outra. Há pessoas que se arruinariam sem nada obter de nós, há outras que nos possuiriam por um ramo de flores. Nosso coração tem caprichos; é sua única distração e sua única justificativa. Entreguei-me a você mais depressa do que a qualquer outro homem, juro. Por quê? Porque ao me ver escarrar sangue você me pegou a mão, porque você chorou, porque você foi a única criatura humana que me lamentou. Vou dizer uma tolice, mas eu tinha antigamente um cãozinho que me olhava com ar triste quando eu tossia. Foi o único ser que amei. Quando morreu, chorei mais do que na morte de minha mãe. É verdade que ela me espancou durante doze anos de vida. Pois bem, amei você imediatamente, tanto quanto ao meu cão. Se os homens soubessem o que se pode conseguir com uma lágrima, seriam mais amados e nós, menos ruinosas. Aquela carta desmentiu você, revelou que você não possuía toda a inteligência do coração, fez mais mal ao amor que tenho por você do que qualquer outra coisa que você pudesse fazer-me. Foi o ciúme, é verdade, mas o ciúme irônico e inoportuno. Eu já estava triste quando recebi a carta, contava ver você ao meio-dia, almoçar com você, apagar, enfim, com a sua presença um pensamento insistente que antes de conhecer você eu admitia como natural.

"Depois — continuou Marguerite — você era a única pessoa, diante da qual julguei, de saída, que poderia pensar e falar livremente. Todos os que cercam as mulheres como eu têm interesse em investigar suas menores palavras, em tirar uma conclusão de suas ações mais insignificantes. Naturalmente nós não temos amigos. Temos amantes egoístas, que gastam a fortuna não para nós, como dizem, mas para alimentar sua vaidade.

"Para esses é preciso que sejamos alegres quando estão contentes, de boa saúde quando querem cear, descrentes como eles são. É-nos proibido ter coração, sob pena de sermos vaiadas e de arruinarmos o nosso crédito.

"Nós não nos pertencemos. Não somos mais pessoas e sim coisas. Somos as primeiras no seu amor-próprio, mas não em sua estima. Temos amigas, mas são como Prudence, antigas cortesãs que mantêm o prazer dos gastos que a idade não lhes permite mais. Tornam-se então nossas amigas, ou melhor, nossas comensais. Sua amizade vai até a servidão, mas não até o desinteresse. Nunca nos dão um conselho que não seja lucrativo. Pouco lhes importa que tenhamos mais de dez amantes, desde que elas ganhem vestidos, ou um bracelete, e que possam de vez em quando passear em nossos carros e assistir ao espetáculo do nosso camarote. Ficam com as nossas flores da véspera e pedem emprestadas nossas roupas. Nunca nos fazem um obséquio, por menor que seja, sem cobrar o dobro do valor. Você mesmo viu a vez em que Prudence me trouxe os seis mil francos que foi pedir ao duque em meu nome e me levou emprestados quinhentos francos que jamais devolverá, ou que me pagará em chapéus que nunca sairão das caixas.

"Não podemos ter, portanto... ou melhor, eu não podia ter, portanto, senão uma felicidade, que seria a de, triste como estou às vezes, adoentada como estou sempre, encontrar um homem suficientemente superior para não pedir contas de minha vida, para ser o amante de minhas impressões, mais do que do meu corpo. Esse homem, eu o encontrei no duque, mas o duque é velho e a velhice não protege nem consola. Pensei poder aceitar a vida que ele queria para mim, mas que quer você? Eu morria de tédio e, para se consumir, tanto faz jogar-se ao fogo como se asfixiar com a fumaça.

"Então encontrei você, jovem, ardente, feliz e tentei fazer de você o homem por quem clamara, do meio da minha ruidosa solidão. O que eu amava em você não era o homem que já existia, mas o que viria a existir. Você não aceita esse papel, rejeita-o como indigno de si; você é um amante vulgar. Faça como os outros, pague-me e não falemos mais nisso."

Marguerite, a quem essa longa confissão cansara, deixou o corpo cair sobre o encosto do sofá e, para abafar um leve acesso de tosse, levou o lenço aos lábios e depois aos olhos.

— Perdão, perdão — murmurei — eu já compreendera tudo isso mas queria ouvi-lo de você, minha Marguerite adorada. Esqueçamos o resto e não nos lembremos senão de uma coisa: que pertencemos um ao outro, que somos jovens e que nos amamos. Marguerite, faça de mim o que quiser, sou seu escravo, seu cão. Mas, pelo amor de Deus, rasgue a carta que enviei e não me deixe partir amanhã. Eu morreria.

Marguerite tirou minha carta do corpete de seu vestido e, ao devolvê-la, me disse, com um sorriso de inefável doçura:

— Tome, eu a trouxe para você.

Rasguei a carta e beijei entre lágrimas a mão que a entregara. Nesse momento voltou Prudence.

— Veja, Prudence, sabe o que ele quer? — perguntou Marguerite.

— Ele quer o seu perdão.

— Justamente.

— E você o perdoa?

— Tenho de perdoar, mas ele quer ainda mais uma coisa.

— Que mais?

— Quer vir cear conosco.

— E você vai consentir?

— Que acha você?

— Acho que são ambos duas crianças, que não têm cabeça, nem um nem o outro. Mas acho também que estou com muita fome e que, quanto antes você consentir, tanto mais cedo cearemos.

— Vamos — disse Marguerite — o carro dá para os três. Olhe — continuou, virando-se para mim — Nanine deve estar deitada, você abrirá a porta. Tome a minha chave e cuidado para não a perder.

Beijei Marguerite até sufocá-la.

Joseph entrou na sala.

— Sr. Armand — disse ele com ar de um homem satisfeito consigo mesmo —, as malas estão prontas.

— Completamente?

— Sim, senhor.

— Muito bem, desfaça-as. Não viajo mais.

Capítulo XVI

Poderia ter contado em poucas linhas o início dessa mancebia — continuou Armand — mas queria que o senhor visse bem por que acontecimentos e como, pouco a pouco, chegamos, eu a consentir em tudo o que Marguerite queria e ela a não mais poder viver sem mim.

Foi no dia seguinte àquela noite em que ela foi buscar-me que lhe enviei *Manon Lescaut*.

A partir desse momento, como não podia alterar a vida de minha amante, alterei a minha. Queria, antes de tudo, impedir que meu espírito tivesse tempo de refletir sobre o papel que acabava de aceitar pois, mesmo contra a vontade, teria ficado muito triste. Assim minha vida, de ordinário tão calma, revestiu-se subitamente de uma aparência de ruído e desordem. Não vá acreditar que, por mais desinteressado que seja, o amor de uma cortesã nada custe. Nada sai tão dispendioso quanto os mil caprichos de flores, camarotes, jantares, piqueniques que não podem ser recusados à amante.

Como já disse, eu não possuía fortuna. Meu pai era e é ainda Recebedor-Geral em C. Ele tem uma grande reputação de lealdade, graças à qual obteve a caução que era necessária depositar para assumir o cargo. Essa receita lhe dá quarenta mil francos por ano e depois de dez anos de exercício do cargo, pagou a caução e começou a pôr de lado o dote de minha irmã. Meu pai é o homem mais honrado que se pode encontrar. Minha mãe, ao morrer, deixou seis mil francos de renda que ele dividiu entre mim e minha irmã no dia em que conseguiu o cargo que solicitara. Depois, quando completei vinte e um anos, juntou a essa pequena renda uma pensão anual de cinco mil francos, assegurando-me que com oito mil francos eu poderia ser muito feliz em Paris, se quisesse adicionar à renda uma posição, seja no foro, seja na medicina. Vim então para Paris, estudei direito, fiz-me advogado e, como muitos jovens, enfiei o diploma no bolso e me deixei vogar um pouco pela vida agradável de Paris. Minhas despesas eram bem modestas, mas eu gastava em oito meses a renda de um ano e passava os quatro meses do verão em casa de meu pai, o que me dava no total doze mil libras de renda e ainda a reputação de ser um bom filho. Além disso, nem um tostão de dívidas.

Eis como eu estava quando conheci Marguerite.

O senhor compreende que, mesmo sem querer, o ritmo de minha vida se acelerou. Marguerite era de uma natureza muito caprichosa e fazia parte dessa espécie de mulheres que jamais encararam como uma despesa séria as mil distrações que lhes compõem a existência. Daí resultava que, querendo passar comigo o maior tempo possível, ela me escrevia pela manhã dizendo que ia jantar comigo, não em casa, mas num restaurante qualquer, fosse em Paris ou no campo. Ia buscá-la, jantávamos, íamos ao teatro, frequentemente ceávamos e, ao fim da noite, eu tinha gasto quatro ou cinco luíses, o que perfazia dois mil e quinhentos a três mil francos por mês, reduzindo o meu ano a três meses e meio e forçando-me a contrair dívidas, ou então teria de abandonar Marguerite.

Ora, eu aceitaria tudo menos essa última possibilidade.

Perdoe se entro em todos esses detalhes, mas o senhor verá que eles foram a causa dos acontecimentos que se seguem. O que lhe estou contando é uma história verídica, simples, e na qual conservo toda a ingenuidade dos pormenores e toda a simplicidade dos fatos.

Compreendi, então, que como nada no mundo teria sobre mim força para me obrigar a esquecer minha amante, era necessário encontrar um meio de sustentar as despesas que precisava fazer por sua causa. E depois, esse amor de tal modo me perturbava que todos os momentos passados longe de Marguerite eram anos que eu sentia a necessidade de vivê-los tão rapidamente que não sentisse que os estava vivendo.

Comecei a pedir emprestados cinco ou seis mil francos sobre o meu pequeno capital e lancei-me ao jogo, porque, depois que foram fechados os cassinos, joga-se por toda a parte. Antigamente, quando se entrava no Frascati havia a possibilidade de ganhar-se ali uma fortuna. Jogava-se contra dinheiro e, se se perdesse, havia o consolo de se dizer que teria sido possível ganhar. Enquanto hoje em dia, exceto nos clubes, onde ainda há certa severidade quanto ao pagamento, tem-se quase a certeza, desde que se ganhe uma soma importante, de não a receber. É fácil compreender por quê.

O jogo pode ser apenas praticado por jovens com grandes ambições e sem a fortuna necessária para sustentar a vida que levam. Jogam, portanto, e isso resulta no seguinte: ganham e nesse caso os perdedores servem para pagar os cavalos e as amantes desses senhores, o que é muito desagradável. Dívidas são contraídas; relações iniciadas em torno de um pano verde terminam em disputas onde a honra e a vida sempre sofrem algum risco. E quando se é um homem honesto, acaba-se arruinado por jovens honestíssimos que não têm outro defeito senão o fato de não possuírem duzentas mil libras de renda.

Não preciso falar-lhe dos que trapaceiam no jogo, a respeito de quem um dia se vem a saber da partida obrigatória e da condenação tardia.

Lancei-me então a essa vida agitada, barulhenta, vulcânica, que me amedrontava antigamente só em pensar nela e que se tornara, para mim, um complemento inevitável do amor por Marguerite. Que queria que eu fizesse?

As noites que eu não passava na rua Antin, se eu ficasse a sós em casa não dormiria. O ciúme ter-me-ia mantido desperto e me incendiado os pensamentos e o sangue. Já o jogo distraía por um momento a febre que teria invadido o meu coração e a desviava para uma paixão cujo interesse me absorvia, contra a minha vontade, até que soasse a hora em que devia apresentar-me à minha amante. Nesse momento, e é por aí que reconheço a violência do meu amor, ganhando ou perdendo eu abandonava inevitavelmente a mesa, lamentando os que deixava porque não iam, como eu, ao encontro da felicidade ao deixar o jogo.

Para a maioria ele era uma necessidade. Para mim era um remédio. Curado de Marguerite, eu estaria curado do jogo.

No entanto, em meio a tudo isso, eu mantinha perfeito sangue-frio. Não perdia mais do que podia pagar e não ganhava mais do que poderia ter perdido.

Além do mais, a sorte me favorecia. Não fazia dívidas e gastava três vezes mais dinheiro do que quando não jogava. Não era fácil resistir a uma vida que me permitia satisfazer, sem aborrecimentos, os mil caprichos de Marguerite. E ela continuava a me amar tanto ou mais do que eu.

Como já disse, eu começara, de início, a não ser recebido senão da meia-noite às seis da manhã; depois, fui admitido de vez em quando nos camarotes, até que ela passou a vir algumas vezes jantar comigo. Uma vez não saí senão oito horas e chegou o dia em que fiquei até o meio-dia.

Enquanto não chegava a metamorfose moral, uma metamorfose física se havia produzido em Marguerite. Eu me decidira a curá-la e a pobre moça, adivinhando minha intenção, obedecia-me para demonstrar seu reconhecimento. Consegui, sem esforço nem abalos, isolá-la quase completamente dos antigos hábitos. Meu médico, a quem a fizera consultar, dissera que só o repouso e a calma poderiam conservar-lhe a saúde, de modo que os jantares e as noites em claro foram substituídos por um regime higiênico e um sono regular. Sem o sentir, Marguerite habituou-se à nova existência, cujos efeitos salutares se evidenciavam nela. Já começava a passar algumas noites em casa ou então, se fazia bom tempo, embrulhava-se num xale, cobria-se com um véu e íamos a pé, como duas crianças, correr à noite pelas alamedas sombrias dos Campos Elísios. Ela voltava fatigada, ceava levemente e deitava-se, após ter tocado um pouco de piano, ou lido qualquer coisa, o que jamais lhe acontecera antes. Os acessos de tosse, que me rasgavam o peito a cada vez que os ouvia, haviam desaparecido quase por completo.

Ao fim de seis semanas não se falava mais no conde, definitivamente sacrificado. Apenas o duque me obrigava ainda a ocultar minhas relações com Marguerite e mesmo assim ele era frequentemente despedido, enquanto eu lá estava, sob o pretexto de que a senhorita dormia ainda e proibira que a acordassem.

O resultado do hábito, e mesmo da necessidade que Marguerite adquirira de me ver, foi que abandonei o jogo justamente no ponto em que um bom jogador o teria abandonado. No final das contas, encontrava-me, após os meus sucessos, de posse de uns dez mil francos que me pareciam um capital inextinguível.

Chegara a época em que habitualmente eu ia para perto de meu pai e de minha irmã e eu não partia. Passei então a receber cartas frequentes de ambos, insistindo para que os fosse visitar.

A todos os chamados eu respondia do melhor modo possível, repetindo sempre que estava bem de saúde e que não precisava de dinheiro, duas coisas que a meu ver consolariam um pouco meu pai do atraso em que eu deixara minha visita anual.

Enquanto isso, Marguerite, acordada certa manhã por um sol maravilhoso, saltou da cama e me perguntou se queria levá-la ao campo, para passar lá um dia inteiro.

Mandamos chamar Prudence e partimos os três, depois de Marguerite recomendar a Nanine que dissesse ao duque que ela decidira aproveitar o dia tão bonito e saíra da cidade com a sra. Duvernoy.

Além de ser necessária a presença da Duvernoy para tranquilizar o velho duque, Prudence era uma dessas mulheres que parecem feitas para essas reuniões campestres. Com sua alegria inalterável e seu eterno apetite, não podia permitir um instante de tédio aos que acompanhava, e se encarregaria com perfeição da compra de ovos, cerejas, leite, coelho assado e tudo o mais que compõe afinal o almoço tradicional nas proximidades de Paris.

Só nos restava saber aonde iríamos.

Foi ainda Prudence que nos tirou do embaraço.

— É mesmo ao campo que querem ir? — perguntou.

— É.

— Pois bem, vamos a Bougival, no Point Du Jour, à casa da viúva Arnould. Armand, vá alugar uma caleça.

Uma hora e meia depois estávamos em casa da viúva Arnould.

O senhor talvez conheça esse albergue, que durante a semana é hotel e aos domingos taberna. Do jardim, que tem a altura de um primeiro andar comum, tem-se uma vista magnífica. À esquerda o aqueduto de Marly fecha o horizonte, à direita a vista se estende por sobre um infinito de colinas. O rio, quase sem correnteza nesse ponto, desenrola-se como uma grande fita de pano branco ondulado, entre a planície de Gabillions e a ilha de Croissy, eternamente embalada pelo frêmito dos seus altos pinheiros e pelo murmúrio dos chorões.

Ao fundo, dentro de um grande raio de sol, elevam-se as casinhas brancas de telhado vermelho e as fábricas que, perdendo pela distância o seu caráter duro e comercial, completam admiravelmente a paisagem.

Ao fundo, Paris dentro da bruma!

Como dissera Prudence, era mesmo o campo e, devo dizer, foi um verdadeiro almoço.

Não é por gratidão pela felicidade que lhe devo que digo isso, mas Bougival, apesar do seu nome horroroso, é um dos mais belos recantos que se podem imaginar. Já viajei muito, já vi coisas maiores, mas não mais encantadoras do que essa aldeia alegremente deitada ao pé da colina que a protege.

Madame Arnould ofereceu-nos um passeio de barco, que Marguerite e Prudence aceitaram com alegria.

Sempre se associa o campo ao amor e com razão: nada emoldura a mulher amada como o céu azul, os aromas, as flores, as brisas, a resplandecente solidão dos campos ou dos bosques. Por mais que se ame uma mulher, que se confie nela, que o seu passado nos dê a segurança do futuro, fica-se sempre mais ou menos ciumento. Se o senhor já esteve apaixonado, seriamente apaixonado, deve ter sentido essa necessidade de isolar do mundo a pessoa a quem deseja entregar inteiramente sua vida. Parece que, por mais indiferente que seja ao que a cerca, a mulher amada perde um pouco do seu perfume e da sua unidade ao contato dos homens e das coisas. Eu sentia isso mais do que qualquer outro. Meu amor não era um amor comum. Estava tão apaixonado quanto é possível a uma criatura comum, mas por Marguerite Gautier, o que significa que em Paris, a cada passo, podia encontrar um homem que fora amante dela ou que o seria no dia seguinte. Enquanto no campo, em meio a pessoas que jamais nos haviam visto e que não nos davam importância, no seio de uma natureza toda enfeitada pela primavera, esse perdão anual, e distante do ruído da cidade, eu podia ocultar o meu amor e amar sem pejo e sem temor.

A cortesã desaparecia aos poucos. Tinha ao meu lado uma mulher nova, bela, que eu amava, que me amava e que se chamava Marguerite. O passado não tinha mais formas, o futuro não tinha mais nuvens. O sol iluminava minha amante como teria iluminado a mais casta noiva. Passeamos os dois por esses lugares encantadores que parecem feitos propositadamente para lembrar os versos de

Lamartine ou cantar as melodias de Scudo. Marguerite trazia um vestido branco, pendurava-se ao meu braço, repetia-me à noite, sob o céu estrelado, as frases que me dissera na véspera, e o mundo continuava ao longe a sua vida, sem manchar com sua sombra o aspecto feliz de nossa juventude e de nosso amor.

Eis o sonho que através das folhas o sol ardente desse dia me comunicava enquanto, deitado ao comprido sobre o capim da ilha que abordáramos, livre de todos os laços humanos que o prendiam antes, eu deixava meu pensamento vagar e colher todas as esperanças que encontrasse.

Acrescente a isso o fato de que, do ponto onde estava, eu via sobre a margem uma casinha encantadora, de dois andares e uma grade em semicírculo. Através da grade, em frente à casa, um gramado verde, unido como veludo, e, atrás da construção, um pequeno bosque cheio de esconderijos misteriosos, que devia a cada manhã apagar com seus galhos fechados a trilha aberta na véspera.

Trepadeiras ocultavam a escada externa dessa casa vazia, envolvendo-a até o primeiro patamar.

À força de olhá-la, acabei convencido de que me pertencia, tanto a casa resumia meu sonho. Via ali Marguerite e eu, de dia no bosque que encobria a colina, de noite sentados no gramado, e me perguntava se criaturas terrestres teriam jamais sido tão felizes quanto nós.

— Que bela casa! — disse Marguerite que acompanhara a direção do meu olhar e talvez da minha imaginação.

— Onde? — perguntou Prudence.

— Lá embaixo — e Marguerite apontava com o dedo.

— Ah, encantadora! — replicou Prudence. — Ela lhe agrada?

— Muito.

— Pois então diga ao duque que a alugue para você. Ele na certa concordará. Eu me encarrego disso, se você quiser.

Marguerite olhou-me, como que perguntando o que eu achava da ideia.

Meu sonho fugira com as últimas palavras de Prudence, atirando-me de volta à realidade, tão brutalmente, que eu ainda me sentia aturdido.

— Com efeito, é uma ideia excelente — balbuciei sem saber o que dizia.

— Pois bem, vou conseguir isso — disse Marguerite, segurando minha mão e interpretando minhas palavras de acordo com seu desejo. — Vamos logo ver se está para alugar.

A casa estava desocupada e o aluguel era de dois mil francos.

— Você vai ficar contente aqui? — perguntou ela.

— Posso estar certo de que venho cá?

— E por que motivo eu havia de me enterrar aqui, se não fosse por você?

— Então, Marguerite, deixe que eu mesmo alugue a casa.

— Você está louco? Não só é inútil, como seria também perigoso. Você sabe muito bem que não tenho o direito de aceitar favores senão de um homem. Deixe isso por minha conta, portanto, criança grande, e não diga nada.

— Assim, quando tiver dois dias livres virei passá-los com vocês — disse Prudence.

— Deixamos a casa e retomamos o caminho de Paris, conversando animadamente sobre a nova resolução. Eu tinha Marguerite nos braços e era tão agradável que ao descer do carro já começava a ver a ideia de minha amante com menos escrúpulos.

Capítulo XVII

No dia seguinte Marguerite me despediu cedo, dizendo que o duque devia chegar ainda pela manhã e prometendo escrever-me, assim que ele saísse, para me dizer onde seria o encontro da noite.

Com efeito, durante o dia recebi o seguinte bilhete:

Vou a Bougival com o duque. Esteja em casa de Prudence esta noite, às oito horas.

À hora indicada Marguerite estava de volta e vinha encontrar-me em casa da sra. Duvernoy.

— Muito bem, está tudo arranjado — disse ela ao entrar.

— A casa foi alugada? — perguntou Prudence.

— Sim. Aceitaram logo.

Eu não conhecia o duque, mas tinha vergonha de o enganar dessa maneira.

— Mas isso não é tudo! — continuou Marguerite.

— Que mais?

— Estive vendo um lugar para Armand.

— Na mesma casa? — perguntou, rindo, Prudence.

— Não, mas no Point du Jour, onde almoçamos, o duque e eu. Enquanto ele admirava a vista perguntei a madama Arnould — é mesmo madama Arnould o nome dela, não é? — perguntei-lhe se tinha um apartamento conveniente. Justamente, ela dispunha de um com sala, saleta e quarto. Acho que é só do que se precisa. Sessenta francos por mês. O conjunto está mobiliado de modo a distrair um melancólico. Reservei o apartamento. Agi bem?

Abracei Marguerite.

— Vai ser uma maravilha — continuou ela. — Você fica com uma chave da porta pequena e prometi ao duque uma do portão, que ele não vai receber porque só aparecerá durante o dia, quando aparecer. Creio, aqui entre nós, que ele está encantado com esse capricho que me afasta de Paris durante uns meses e aquietará um pouco a sua família. Apesar disso ele me perguntou como é que eu, que gosto tanto de Paris, podia resolver-me a me enterrar no campo. Respondi-lhe que estava adoentada e queria repousar. Não deu a impressão de acreditar inteiramente. Aquele pobre velho está sempre de guarda. Vamos portanto tomar muito cuidado, meu querido Armand, pois ele deve mandar vigiar-me lá, e não basta que me alugue a casa. É preciso que também me pague as dívidas; e infelizmente tenho algumas. Tudo isso lhe convém?

— Sim — respondi tentando calar todos os escrúpulos que esse modo de viver me provocava de vez em quando.

— Visitamos a casa, observando-lhe todos os detalhes; ficaremos magnificamente bem, lá. O duque preocupou-se com tudo. Ah, meu querido — continuou a louquinha, beijando-me — você não é nada infeliz; é um milionário que lhe faz a cama.

— E quando se vai mudar? — quis saber Prudence.

— O mais cedo possível.

— Você vai levar o carro e os cavalos?

— A casa toda! Você ficará encarregada do apartamento durante a minha ausência.

Oito dias depois Marguerite tomava posse da casa de campo e eu me instalava em Point du Jour.

Então começou uma existência que me seria penoso descrever.

No início de sua estada em Bougival, Marguerite não pôde romper inteiramente com os seus hábitos e como a casa estava sempre em festa, todos os amigos vinham vê-la. Durante um mês, não houve um dia em que Marguerite não tivesse oito ou dez pessoas à mesa. Prudence, por sua vez, levava todos os conhecidos e lhes fazia as honras da casa como se ela lhe pertencesse.

O dinheiro do duque pagava tudo isso, como o senhor imagina, e, mesmo assim, de quando em quando Prudence me pedia uma nota de mil francos, aparentemente em nome de Marguerite. O senhor sabe que eu tinha ganhado alguma coisa no jogo. Apressava-me, portanto, a entregar a Prudence o que Marguerite pedia por seu intermédio e, com medo de que ela precisasse de mais dinheiro do que eu tinha, vim a Paris tomar emprestada uma soma igual àquela que uma vez já pedira e que havia devolvido pontualmente.

Achei-me novamente com uma fortuna de dez mil francos, sem contar a pensão.

Neste ínterim o prazer que Marguerite sentia em receber as amigas acalmou-se um pouco ante as despesas que ele provocava e, sobretudo, ante a necessidade que lhe vinha, de vez em quando, de me pedir dinheiro. O duque, que alugara a casa para ela poder repousar, não mais aparecia, temendo sempre encontrar um grupo numeroso e alegre pelo qual não queria ser visto. Isso deu em que, vindo um dia jantar a sós com Marguerite, achou-se no meio de um almoço de quinze pessoas que ainda não tinha acabado na hora em que ele pretendia jantar. Quando, sem desconfiar de nada, abriu a porta da sala de refeições, sua entrada foi acolhida por um riso geral e foi forçado a retirar-se subitamente diante da alegria incômoda das mulheres que lá estavam.

Marguerite levantou-se e foi ao encontro do duque na sala ao lado, tentando na medida do possível conseguir que ele esquecesse aquele incidente. Mas o velho, ferido no seu amor-próprio, guardara rancor, disse cruelmente à pobre moça que estava cansado de pagar as loucuras de uma mulher que nem mesmo sabia fazê-lo respeitar em sua casa e partiu muito irritado.

Depois desse dia não se ouviu mais falar nele. Marguerite achara melhor despachar os convidados e mudar de hábitos; mas o duque não deu mais notícias. Eu tive a vantagem de possuir mais completamente minha amante, e meu sonho se realizou afinal. Marguerite não podia mais passar sem minha presença. Sem se preocupar com o que aconteceria, ela passou a exibir publicamente nossa ligação e cheguei ao ponto de não sair mais de sua casa. Os empregados chamavam-me de senhor e oficialmente me consideravam o patrão.

Prudence argumentara muito com Marguerite a respeito dessa nova vida, mas esta respondera que me amava, que não podia viver sem mim e que, acontecesse o que acontecesse, não renunciaria à felicidade de me ter sempre a seu lado, acrescentando que aqueles que não gostassem disso tinham liberdade de não mais voltar.

Foi isso que ouvi, num dia em que Prudence dissera a Marguerite que tinha algo muito importante a lhe dizer e em que eu ficara à escuta, na porta do quarto onde as duas estavam trancadas.

Poucos dias depois Prudence reapareceu.

Eu estava no fundo do jardim quando ela entrou. Ela não me viu. Não tive dúvidas, pelo modo como Marguerite se dirigiu a ela, que outra conversa semelhante à anterior, que eu ouvira, ia ter lugar e fiz questão de escutar essa também.

As duas fecharam-se no toucador e fiquei escutando.

— Então? — perguntou Marguerite.

— Então, vi o duque.

— Que disse ele?

— Que de bom grado perdoaria a primeira cena, mas soubera que você vivia publicamente com o sr. Armand Duval e que isso não lhe poderia perdoar. "Marguerite que abandone esse homem", disse ele, "e lhe darei tudo o que queira, como antes. Senão ela deverá renunciar a me pedir seja lá o que for."

— E você, que lhe respondeu?

— Que comunicaria a você a decisão dele e prometi, também, que lhe daria uns conselhos. Pense, minha cara, na posição que você está perdendo e que Armand jamais lhe poderá dar. Ele a ama de todo o coração, mas não tem fortuna bastante para satisfazer todas as suas necessidades e terá um dia de abandonar você. Então será tarde demais e o duque não haverá de querer fazer mais nada por você. Quer que eu fale com Armand?

Marguerite pareceu refletir, pois não respondeu. O coração batia-me com força, à espera da resposta.

— Não — disse ela. — Não vou abandonar Armand e não me vou esconder para viver com ele. É talvez uma loucura, mas eu o amo! Que quer? E depois, ele já se habituou a me amar sem obstáculos. Sofreria muito se fosse obrigado a me deixar, mesmo uma hora por dia. Além disso, não tenho tanto tempo de vida pela frente para me tornar infeliz e fazer as vontades de um velho cuja presença, apenas, já me envelhece. Que fique com o seu dinheiro. Passarei sem ele.

— Mas como vai fazer?

— Não sei.

Prudence sem dúvida ia responder alguma coisa, mas entrei subitamente e corri a jogar-me aos pés de Marguerite, cobrindo suas mãos com as lágrimas que a alegria de ser assim amado me fazia derramar.

— Minha vida é sua, Marguerite, você não precisa mais desse homem. Não estou eu aqui? Jamais abandonarei você e só queria poder recompensar a felicidade que você me dá! Chega de constrangimento, minha Marguerite. Nós nos amamos, que importa o resto?

— Oh, sim, amo-o, meu Armand! — murmurou ela, passando os braços em torno do meu pescoço — amo-o como jamais pensei que pudesse amar. Vamos ser felizes, vamos viver tranquilos e darei um adeus eterno a essa vida que hoje me envergonha. Você nunca me censurará o passado, não é?

As lágrimas alteravam-me a voz. Não pude responder senão apertando Marguerite contra o peito.

— Então — disse ela, voltando-se para Prudence, com emoção — você descreverá esta cena ao duque e dirá que não temos necessidade dele.

A partir desse dia não se falou mais do velho. Marguerite não era mais a mesma mulher que eu conhecera. Evitava tudo o que me pudesse lembrar a vida em que a encontrara. Jamais esposa ou irmã teve para com o marido ou para com o irmão os cuidados que tinha comigo. Sua natureza doentia estava pronta a receber todas as impressões, era acessível a todos os sentimentos. Rompera com as suas amigas assim como com os seus hábitos, com a sua linguagem assim como com as despesas de antigamente. Quem nos visse sair de casa para dar um passeio num barquinho bonito que eu comprara, jamais teria pensado que aquela mulher de vestido branco, coberta com um grande chapéu de palha e levando no braço um simples manto de seda que a devia proteger do frio da água, era a Marguerite Gautier que, quatro meses antes, chamava a atenção com o seu luxo e os seus escândalos.

Pobres de nós! Tínhamos pressa em ser felizes, como se tivéssemos adivinhado que não o poderíamos ser por muito tempo.

Em dois meses não havíamos sequer ido a Paris. Ninguém nos viera ver, exceto Prudence e essa Julie Duprat de que lhe falei e a quem Marguerite entregaria mais tarde o emocionante relato que tenho aqui.

Eu passava dias inteiros aos pés de minha amante. Abríamos as janelas que davam para o jardim e, apreciando o verão abater-se alegremente sobre as flores que ele fazia desabrochar, e sob a sombra das árvores, respirávamos lado a lado essa vida real que até então nem Marguerite nem eu havíamos compreendido.

Essa mulher tinha espantos infantis com as menores coisas. Havia dias em que corria pelo jardim como uma menina de dez anos, atrás de uma borboleta ou de uma libélula. Essa cortesã, que fizera gastar em ramalhetes mais dinheiro do que o necessário para sustentar uma família inteira, sentava-se às vezes na grama, durante uma hora, para examinar a florzinha simples que tinha o seu nome.

Foi durante esses dias que leu com tanta frequência *Manon Lescaut*. Surpreendi-a muitas vezes fazendo anotações no livro e ela me dizia sempre que quando uma mulher ama não pode fazer o que Manon fazia.

Duas ou três vezes o duque lhe escreveu. Ela reconheceu a letra e me entregou os envelopes fechados.

Algumas vezes o conteúdo dessas cartas me fazia vir lágrimas aos olhos.

Ele julgara que fechando a bolsa a Marguerite vê-la-ia de volta. Mas quando percebeu a inutilidade da manobra não pôde conter-se. Escreveu, pedindo novamente, como antes o fizera, a permissão de voltar, fossem quais fossem as condições impostas a esse retorno.

Eu lera, portanto, essas cartas insistentes e repetidas e as rasgara sem dizer a Marguerite o que continham e sem lhe aconselhar que voltasse a ver o velhote, embora um sentimento de piedade pela dor do pobre homem me invadisse. Mas eu temia que ela visse nesse conselho o desejo de fazer o duque retomar, juntamente com o hábito das visitas, os encargos da casa. Temia, acima de tudo, que ela me julgasse capaz de recusar a responsabilidade de sua vida em todas as consequências que o seu amor por mim lhe pudesse causar.

Daí resultou que o duque, não recebendo resposta, parou de escrever e Marguerite e eu continuamos a viver juntos sem nos preocuparmos com o futuro.

Capítulo XVIII

Dar-lhe os pormenores da nossa vida nova seria difícil. Compunha-se de uma série de infantilidades encantadoras para nós, mas sem significado para os que me ouvissem. O senhor sabe o que é amar uma mulher, sabe como os dias se tornam breves e com que preguiça amorosa se deixam as coisas para o dia seguinte. Não ignora o esquecimento de tudo o que nasce de um amor violento, confiante e retribuído. Todo ser que não é a mulher amada parece um ser inútil na criação. A gente lamenta já ter distribuído algumas parcelas do coração por outras mulheres e não admite a possibilidade de apertar jamais outra mão que não seja aquela que tem agora. O cérebro não permite trabalho ou memória, nada enfim que o possa distrair do pensamento único que, sem cessar, lhe é oferecido. Cada dia se descobre na amante um novo encanto, um prazer desconhecido.

A existência não é mais do que a satisfação repetida de um desejo continuado; a alma não é mais do que a vestal encarregada de sustentar o fogo sagrado do amor.

Frequentemente íamos à noitinha sentar-nos sob o pequeno bosque que dominava a casa. Lá escutávamos as alegres harmonias, pensando todos os dois na hora que se aproximava e que nos ia deixar até o dia seguinte nos braços um do outro. Outras vezes passávamos o dia inteiro deitados, sem nem mesmo permitir a entrada do sol no quarto. As cortinas ficavam completamente fechadas e o mundo exterior, para nós, parava por um momento. Apenas Nanine tinha o direito de abrir nossa porta, mas isso somente para nos trazer as refeições. E mesmo essas, nós as fazíamos sem sair do leito, interrompendo-as à toda hora com risadas e brincadeiras. A elas seguia-se um sono de alguns instantes pois, esvaindo-nos em amor, éramos como dois mergulhadores obstinados, que só voltam à superfície para retomar fôlego.

No entanto eu surpreendia momentos de tristeza e algumas vezes de lágrimas, mesmo, em Marguerite. Perguntava-lhe de onde vinha essa tristeza repentina e ela respondia:

— Nosso amor não é um amor comum, meu caro Armand. Você me ama como se eu nunca tivesse pertencido a alguém e tenho medo de que mais tarde, arrependendo-se desse amor e me apresentando o passado como um crime, você me force a novamente me atirar à vida de onde me trouxe. Lembre-se de que agora, que já provei uma vida nova, morreria se retomasse a antiga. Diga, pois, que jamais me abandonará.

— Juro!

— A essa palavra ela me olhava como se quisesse ler nos meus olhos a sinceridade do juramento, depois se jogava nos meus braços e, escondendo a cabeça no meu peito, dizia-me:

— É que você não sabe o quanto eu o amo!

Uma noite estávamos debruçados sobre o balcão da janela, apreciando a lua que parecia sair com dificuldade do seu leito de nuvens e escutando o vento que agitava ruidosamente as árvores. Tínhamos as mãos dadas e após longo silêncio Marguerite perguntou:

— O inverno está aí. Você quer partir?

— Para onde?

— Para a Itália.

— Você está entediada, então?

— Tenho medo do inverno. Tenho medo principalmente da nossa volta a Paris.

— Por quê?

— Por uma porção de motivos.

E ela continuou, imediatamente, sem dar os motivos de seus temores:

— Você quer ir? Eu venderia tudo o que tenho e iríamos viver lá. Nada me restaria do que fui, ninguém saberia quem sou. Quer?

— Vamos, se isso lhe agrada, Marguerite. Vamos fazer uma viagem — disse eu. — Mas que necessidade há de vender as coisas que você gostará de encontrar na volta? Não tenho fortuna bastante para aceitar tal sacrifício, mas possuo o suficiente para que possamos viajar com conforto durante uns cinco ou seis meses, se isso te causar o menor prazer.

— Assim, não — respondeu ela, deixando a janela para ir sentar-se no sofá, na parte sombria do quarto. — Para que gastar dinheiro lá? Já custo bastante a você aqui.

— Você me censura, Marguerite. Isso não é gentil.

— Perdão, amigo — disse ela, estendendo-me a mão. — Esse ar de tempestade me faz mal aos nervos. Não penso o que estou dizendo.

E após beijar-me ficou longo tempo cismando.

Várias cenas semelhantes ocorreram e, se é verdade que eu ignorava o motivo, não é menos verdade que eu descobrira em Marguerite uma inquietação quanto ao futuro. Ela não podia duvidar do meu amor, pois este aumentava a cada dia, e no entanto encontrei-a várias vezes entristecida sem que me quisesse dar outro motivo que não um padecimento qualquer.

Temendo que ela se estivesse fatigando de uma vida demasiadamente monótona, propunha-lhe retornar a Paris, mas ela sempre recusava a ideia, assegurando-me que não seria feliz em parte alguma como era no campo.

Prudence não aparecia senão muito raramente, mas em compensação escrevia cartas que eu jamais pedira para ler, embora às vezes produzissem em Marguerite profunda preocupação. Eu não sabia o que pensar.

Um dia Marguerite ficou no quarto. Entrei. Ela escrevia.

— Para quem é? — perguntei.

— Para Prudence. Quer que eu leia para você ouvir?

Eu tinha horror a tudo o que parecesse suspeita, de modo que respondi que não precisava de saber o que ela escrevia, embora estivesse certo de que aquela carta me teria revelado a verdadeira causa de sua tristeza.

No dia seguinte fazia um tempo soberbo. Marguerite propôs um passeio de barco para visitar a ilha de Croissy. Parecia muito alegre e eram cinco horas quando chegamos de volta.

— A sra. Duvernoy esteve aqui — informou Nanine ao ver-nos.

— Já se foi? — perguntou Marguerite.

— Já, sim, no carro da senhora. Disse que estava tudo combinado.

— Está certo — disse rapidamente Marguerite. — Pode servir a mesa.

Dois dias depois chegou uma carta de Prudence e durante quinze dias Marguerite pareceu haver rompido com as suas misteriosas melancolias, para as quais não cessava de me pedir perdão, depois que elas não mais existiam.

E no entanto a viatura não voltava.

— Por que será que Prudence não devolve o seu *coupé*? — perguntei um dia.

— Um dos cavalos está doente e o carro precisa de alguns reparos. É melhor que isso seja feito enquanto estamos aqui, onde não precisamos dele, do que esperar para quando voltarmos a Paris.

Prudence veio ver-nos alguns dias depois e me confirmou o que Marguerite dissera.

As duas passearam sós no jardim e quando me juntei a elas, mudaram de assunto.

À noite, ao partir, Prudence queixou-se de frio e pediu uma manta de caxemira emprestada.

Um mês se passou assim, durante o qual Marguerite esteve mais alegre e mais amorosa do que nunca.

E no entanto a viatura não voltara nem a manta fora devolvida. Tudo aquilo me intrigava, mesmo contra a vontade, e como eu sabia em que gaveta Marguerite guardava as cartas de Prudence, aproveitei um momento em que ela estava no fundo do jardim, corri à gaveta e tentei abri-la. Em vão; estava fechada à chave.

Então abri a outra onde estavam habitualmente as joias e os brilhantes. Essas se abriram sem resistência, mas os escrínios haviam desaparecido, com o que continham, é claro.

Uma suspeita dolorosa apertou-me o coração.

Ia exigir de Marguerite a verdade sobre esse desaparecimento, mas ela na certa não o confessaria.

— Minha querida Marguerite — disse eu, então. — Venho pedir-lhe permissão para ir a Paris. Em minha casa ninguém sabe onde estou e devem ter chegado cartas de meu pai. Está sem dúvida inquieto, e preciso que eu lhe responda.

— Vá, meu amigo — disse ela. — Mas volte cedo.

Parti.

Corri diretamente à casa de Prudence.

— Vamos — disse eu sem rodeios — diga francamente: onde estão os cavalos de Marguerite?

— Vendidos.

— E a caxemira?

— Vendida.

— Os brilhantes?
— Empenhados.
— E quem os vendeu e empenhou?
— Eu.
— Por que não me avisou?
— Porque Marguerite me proibiu.
— E por que não me pediu dinheiro?
— Porque ela não queria.
— E para onde foi esse dinheiro?
— Pagamentos.
— Ela então tem muitas dívidas?
— Trinta mil francos, ainda, ou pouco menos. Ah! meu caro, não lhe disse? O senhor não me quis acreditar. Pois bem, ei-lo agora convencido. O tapeceiro que o duque contratara foi posto para fora quando se apresentou para receber, e o duque lhe disse, no dia seguinte, que nada pagaria para a srta. Gautier. O homem queria dinheiro. Recebeu alguns milhares de francos; aqueles que pedi ao senhor. Depois as almas caridosas o avisaram de que sua devedora, abandonada pelo duque, vivia com um rapaz sem fortuna. Os outros credores também foram avisados, cobraram e houve penhora. Marguerite queria vender tudo, mas era tarde e eu me opus. Era preciso pagar e para não lhe pedir dinheiro ela vendeu os cavalos, as caxemiras e empenhou as joias. Quer ver os recibos dos compradores e as cautelas dos penhores?

E Prudence, abrindo uma gaveta, mostrou os papéis.

— Ah, acha — continuou ela com essa persistência da mulher que tem o direito de perguntar: "eu não disse"? — que é só amar, ir viver no campo uma vida bucólica e vaporosa? Não, meu amigo, não. Ao lado da vida ideal há a vida material e as resoluções mais puras são presas à terra por fios ridículos, mas de ferro, que não se quebram com facilidade. Se Marguerite não o enganou umas vinte vezes é por que ela é de uma natureza excepcional. Não foi por falta de conselho meu, pois me dava pena ver a pobre moça despojar-se de tudo. Ela não quis! Respondeu que o amava e não o enganaria por nada neste mundo. Tudo isso é muito bonito, muito poético, mas não é com essa moeda que se pagam os credores, e hoje ela não pode safar-se com menos de trinta mil francos, repito.

— Está bem, arranjarei o dinheiro.
— Vai pedi-lo emprestado?
— Meu Deus, sim.
— O senhor vai fazer uma boa coisa... Brigar com o seu pai, prejudicar seus rendimentos, e não se encontram assim trinta mil francos de um dia para o outro. Creia, meu caro Armand, conheço melhor as mulheres do que o senhor. Seja razoável. Não lhe digo que abandone Marguerite, mas viva com ela como vivia no começo do verão. Deixe-a encontrar os meios de sair da dificuldade. O conde de N., se ela o aceitar, como me dizia ontem mesmo, pagará todas as suas dívidas e lhe dará cinco ou seis mil francos por mês. Ele tem duzentas mil libras de renda. Seria para ela uma posição, enquanto que o senhor estará sempre à espera do dia em que for obrigado a deixá-la. Não espere estar arruinado para fazer isso, ainda mais que esse conde de N. é um imbecil e não impedirá que o senhor seja o amante de Marguerite. Ela vai chorar um pouco no princípio, mas acabará habituando-se e um dia ainda haverá de agradecer o que o senhor fez. Faça de conta que Marguerite é casada e engana o marido; pronto. Eu já lhe havia dito tudo isso, certa vez. Era apenas um conselho, na época; hoje, é quase uma necessidade.

Prudence estava cruelmente certa.

— Pois é isso — continuou ela, guardando os papéis que acabara de mostrar — as cortesãs preveem sempre que vão ser amadas, mas nunca que vão apaixonar-se, senão deixariam algum dinheiro de lado e aos trinta anos poderiam dar-se ao luxo de ter um amante de graça. Se eu tivesse sabido o que sei hoje! Enfim, não diga nada a Marguerite e traga-a para Paris. O senhor viveu quatro ou cinco meses com ela; já é bastante. Feche os olhos, é só o que se pede. Ao fim de quinze dias ela retomará o conde de N., fará economias no inverno e, no ano que vem, recomeçarão. Eis aí como deve ser a coisa, meu caro!

E Prudence parecia encantada com o seu conselho, que rejeitei com indignação.

Não somente meu amor e minha dignidade me impediam de agir desse modo, como também estava convencido de que, no ponto a que chegara, Marguerite preferiria morrer a aceitar esse acordo.

— Chega de brincadeira — disse eu. — De quanto precisa realmente Marguerite?

— Já lhe disse: trinta mil francos.

— E para quando é necessária essa soma?

— Antes de dois meses.

— Ela os terá.

Prudence deu de ombros.

— Vou enviar-lhe o dinheiro — continuei — mas a senhora jura que jamais contará a Marguerite que fui eu que o mandei?

— Fique tranquilo.

— E se ela lhe mandar mais alguma coisa para vender ou empenhar, avise-me.

— Não há perigo, ela nada mais tem.

Passei então pela minha casa para ver se havia cartas de meu pai. Havia quatro.

Capítulo XIX

Nas três primeiras cartas meu pai inquietava-se com meu silêncio e me perguntava a causa. Na última dava a entender que havia sido informado da minha mudança de vida e anunciava-me sua chegada breve.

Sempre tive um grande respeito e uma afeição sincera por meu pai. Respondi-lhe que uma pequena viagem fora a causa do meu silêncio e roguei-lhe que me prevenisse de sua chegada a fim de que eu pudesse ir esperá-lo.

Dei ao empregado o endereço da casa de campo, recomendando que me levasse a primeira carta que trouxesse o carimbo da cidade de C. e depois parti para Bougival.

Marguerite esperava-me à entrada do jardim.

Sua fisionomia exprimia inquietação. Abraçou-me e não pôde deixar de perguntar:

— Você esteve com Prudence?

— Não.

— Ficou muito tempo em Paris?

— Encontrei cartas de meu pai a que era preciso responder.

Pouco depois Nanine entrou, toda encapotada. Marguerite levantou-se e conversou com ela em voz baixa.

Quando Nanine saiu, Marguerite disse, sentando-se a meu lado e pegando minha mão:

— Por que me enganou? Você esteve em casa de Prudence.

— Quem lhe disse?

— Nanine.

— E como ela sabe?

— Ela seguiu você.

— Então você lhe deu ordens para isso?

— Dei. Achei que era preciso um motivo muito importante para levar você assim a Paris, você que há quatro meses não me deixava. Tive medo de que acontecesse alguma coisa, ou que talvez você fosse ver outra mulher.

— Criança!

— Agora estou tranquila; sei o que você fez, mas não sei o que lhe disseram.

Mostrei a Marguerite as cartas de meu pai.

— Não é isso o que pergunto. O que quero saber é por que você foi à casa de Prudence.

— Fui vê-la.

— Você está mentindo, meu amigo.

— Pois bem, fui perguntar se o cavalo estava melhor e se ela não precisava mais da manta e das joias.

Marguerite enrubesceu mas nada disse.

— Então — continuei — fiquei sabendo do que você fez dos cavalos, das caxemiras e dos brilhantes.

— E ficou aborrecido comigo?

— Fiquei, porque você não se lembrou de me pedir o que precisava.

— Numa ligação como a nossa, se a mulher ainda tem um pouco de dignidade, deve aceitar todos os sacrifícios possíveis antes de pedir dinheiro ao amante e dar assim um aspecto venal ao seu amor. Você me ama, estou certa, mas não sabe como é fraco o fio que liga ao coração o amor por mulheres como eu. Quem sabe? Talvez num dia de contrariedade ou de tédio você julgasse encontrar em nossa ligação uma manobra habilmente calculada! Prudence é uma tola. Que necessidade tinha eu dos cavalos? Fiz economia ao vendê-los: posso bem passar sem eles e não gasto mais nada com o seu trato. Desde que você me ame, é só isso o que quero. E você me amará do mesmo modo sem cavalos, sem caxemiras e sem brilhantes.

Tudo isso foi dito de um modo tão natural que as lágrimas me subiram aos olhos enquanto a ouvia.

— Mas minha boa Marguerite — respondi, apertando amorosamente as mãos de minha amante — você sabe muito bem que um dia acabaria sabendo desse sacrifício e que, a partir dessa data, não mais o admitiria.

— Por que isso?

— Porque, minha querida criança, não concebo que a afeição que você tem por mim a prive de uma única joia que seja. Nem eu quero, tampouco, que num momento de aborrecimento ou de tédio, você possa pensar que, se vivesse com outro homem, esse momento não existiria, e que você se arrependa, mesmo que seja por um minuto, apenas, de estar vivendo comigo. Dentro de alguns dias seus cavalos, seus brilhantes e suas caxemiras lhe serão devolvidas. São tão necessários a você como o ar é à vida e, talvez seja ridículo, também gosto mais de você no meio do luxo do que simples.

— Então é que você não mais me ama.

— Louquinha!

— Se você me amasse, deixaria que eu o amasse a meu modo. Mas não, você continua a ver em mim apenas uma mulher a quem o luxo é indispensável e o qual você se julga sempre obrigado a pagar. Você se envergonha de aceitar as provas do meu amor. Mau grado seu, você pensa em me abandonar um dia, e se esforça por deixar sua delicadeza a salvo de qualquer suspeita. Você tem razão, meu amigo, mas eu esperava mais do que isso.

E Marguerite fez um movimento para se levantar. Segurei-a, dizendo:

— Quero que você seja feliz e que não tenha o que censurar em mim, eis tudo.

— E nós vamos separar-nos!

— Por quê, Marguerite? — exclamei. — O que é que nos pode separar?

— Você, que não quer deixar compreender a sua posição e que tem a vaidade de defender a minha. Você, que me conservando no meio do luxo em que vivi, quer conservar a distância moral que nos separa. Você, enfim, que não acha o meu afeto suficientemente desinteressado para dividir comigo a fortuna que você possui e com a qual podíamos viver felizes, os dois, e que prefere arruinar-se, escravo de um preconceito ridículo. Você acredita então que eu comparo uma viatura e algumas joias ao seu amor? Acha que a felicidade para mim está nas vaidades que contentam quando não se ama, mas que se tornam mesquinhas quando se ama? Você paga as minhas dívidas, desbarata sua fortuna, sustenta uma cortesã, enfim! Quanto tempo durará isso? Dois ou três meses e depois será tarde demais para viver como proponho a você, pois então você teria de aceitar tudo de mim e isso um homem honrado não pode fazer. Entretanto, agora você tem oito ou dez mil francos de renda, com os quais poderíamos viver. Eu venderia o supérfluo daquilo que tenho e só com isso obteria uma renda de uns dois mil francos por ano. Alugaríamos um apartamento bonitinho no qual ficaríamos os dois. No verão, viríamos para o campo, não para uma mansão como esta, mas para uma casinha suficiente para dois. Você é independente, eu sou livre, somos ambos jovens; em nome do céu, Armand, não me atire novamente à vida que eu era forçada a levar antigamente!

Eu não conseguia responder; as lágrimas de gratidão e de amor inundavam-me os olhos, e precipitei-me nos braços de Marguerite.

— Eu queria — continuou ela — arranjar tudo sem nada dizer, pagar todas as dívidas e preparar o nosso apartamento novo. Em outubro voltaríamos a Paris e tudo seria revelado. Mas já que Prudence contou, é preciso que você dê seu consentimento antes, em vez de consentir depois. Você me ama o bastante para isso?

Era impossível resistir a tanto devotamento. Beijei efusivamente as mãos de Marguerite e disse:

— Farei o que você quiser.

O que ela decidira ficou, portanto, combinado.

Então ela se deixou tomar de uma alegria louca: dançava, cantava, falava alegremente da simplicidade do apartamento novo, do bairro e da decoração interna, sobre a qual já me consultava.

Eu a vi contente e decidida quanto a essa resolução que parecia dever aproximar-nos definitivamente um do outro.

De modo que eu não quis ficar atrás.

Num instante, decidi minha vida. Verifiquei a situação de minha fortuna e fiz a Marguerite a doação da renda que me vinha de mamãe, o que me pareceu bem pouco para recompensar o sacrifício que acabava de aceitar.

Restavam-me cinco mil francos da pensão que o meu pai me dava e que, acontecesse o que acontecesse, seriam sempre suficientes para eu viver.

Não disse a Marguerite o que havia resolvido, certo de que ela recusaria a doação.

Essa renda provinha de uma hipoteca de sessenta mil francos sobre uma casa que eu jamais vira. Tudo o que eu sabia era que a cada trimestre o tabelião de meu pai, velho amigo da família, mandava-me cento e cinquenta francos contra o meu simples recibo.

No dia em que Marguerite e eu nos encontramos em Paris para procurar apartamento, fui ao notário e perguntei-lhe de que modo deveria agir para transferir a outra pessoa aquela renda.

O bom homem achou que eu estava arruinado e perguntou a causa da decisão. Ora, como mais cedo ou mais tarde seria necessário indicar a pessoa em favor de quem eu fazia doação, contei-lhe logo toda a verdade.

Não me fez as objeções que sua posição de tabelião e amigo lhe autorizava e me assegurou que se encarregaria de arranjar tudo do melhor modo possível.

Recomendei-lhe naturalmente a maior discrição quanto a meu pai e voltei para Marguerite, que me esperava em casa de Julie Duprat, onde preferira descer para evitar as lições de moral de Prudence.

Pusemo-nos em busca de apartamentos. Todos os que vimos Marguerite achava demasiadamente caros, e eu demasiadamente simples. Mas acabamos por chegar a um acordo e paramos num dos bairros mais tranquilos de Paris, num pavilhão pequenino, isolado da mansão principal.

Atrás desse pequeno pavilhão estendia-se um jardim encantador e que lhe pertencia, cercado de muros suficientemente altos para nos separarem dos vizinhos e suficientemente baixos para não impedir a vista.

Era melhor do que poderíamos esperar.

Enquanto eu ia avisar o proprietário do meu apartamento, Marguerite procurou um negociante que, como ela dizia, já tinha feito para uma de suas amigas o que ela lhe ia pedir.

Veio ter comigo na rua Provence, encantada. O homem lhe prometera pagar todas as dívidas, dar-lhe quitação e remeter-lhe vinte mil francos por todos os móveis.

O senhor viu, pelo preço que o leilão atingiu, que esse negociante honesto ganhou mais de trinta mil francos nas costas da cliente.

Partimos felizes para Bougival, conversando sobre os projetos do futuro, que, graças à nossa sofreguidão e sobretudo ao nosso amor, víamos com as cores mais belas.

Passados oito dias, estávamos almoçando quando Nanine me veio dizer que meu empregado me procurava.

Mandei-o entrar.

— Senhor — disse ele —, seu pai chegou a Paris e lhe pede que venha imediatamente para casa, onde ele o espera.

Essa notícia era a coisa mais simples do mundo e no entanto, ao ouvi-la, Marguerite e eu nos encaramos.

Adivinhávamos uma infelicidade nesse incidente.

Assim, sem que ela me transmitisse a impressão que eu também sentia, respondi, tomando-lhe a mão:

— Não tenha medo.

— Volte logo que possa — murmurou Marguerite, beijando-me —, ficarei esperando na janela.

Mandei Joseph avisar meu pai que eu ia chegar logo.

Com efeito, duas horas depois eu estava na rua Provence.

Capítulo XX

Meu pai, de roupão, estava sentado, escrevendo, na minha sala.

Compreendi logo, pelo modo como ergueu os olhos para mim, quando entrei, que íamos tratar de assuntos graves.

Aproximei-me dele, no entanto, como se nada tivesse notado em sua fisionomia e o abracei.

— Quando chegou, pai?
— Ontem à noite.
— Veio diretamente para minha casa, como de costume?
— Sim.
— É uma pena que eu não estivesse aqui para recebê-lo.

Esperava que dessas palavras surgisse o sermão que me prometia o semblante frio de meu pai, mas ele nada respondeu. Fechou a carta que acabara de escrever e entregou-a a Joseph para que a levasse ao correio.

Quando ficamos a sós, meu pai levantou-se e disse, apoiando-se à chaminé:

— Precisamos, meu caro Armand, de discutir assuntos sérios.
— Estou ouvindo, pai.

— Você promete ser franco comigo?

— É o meu costume.

— É verdade que você vive com uma mulher chamada Marguerite Gautier?

— Sim.

— Você sabe quem é essa mulher?

— Uma cortesã.

— Foi por causa dela que você deixou de nos visitar este ano, a sua irmã e a mim?

— Sim, meu pai, confesso-o.

— Então você está apaixonado por essa mulher?

— Bem o vê, meu pai, pois ela me fez faltar a um dever sagrado, pelo que lhe peço hoje perdão, humildemente.

Meu pai, sem dúvida, não esperava respostas tão categóricas, pois pareceu refletir um instante, antes de continuar:

— Você evidentemente já compreendeu que não pode viver sempre assim?

— Sinto muito, meu pai, mas não compreendi isso.

— Mas devia ter compreendido — disse meu pai num tom de voz mais seco — que eu não o admitiria.

— Eu achei que enquanto nada fizesse de contrário ao respeito que devo ao seu nome e à probidade tradicional da família, poderia viver como vivo, o que me tranquilizou um pouco das dúvidas que ainda mantinha.

As paixões dominam facilmente os sentimentos. Eu estava pronto a todas as lutas, mesmo contra meu pai, para conservar Marguerite.

— Pois bem, chegou o momento de mudar de vida.

— E por quê, meu pai?

— Porque você está a ponto de fazer coisas que quebram o respeito que você julga ter pela sua família.

— Não entendo as suas palavras.

— Vou-me explicar. Que você tenha uma amante, está muito bem. Que você a pague como um homem de sociedade deve pagar uma cortesã, nada mais natural. Mas que você esqueça as coisas mais sagradas por causa dela, que você permita à notoriedade da sua vida escandalosa chegar até o recesso da minha província e jogar a sombra de uma mancha sobre o nome honrado que lhe dei, eis o que não pode ser, eis o que não há de acontecer.

— Permita que lhe diga, meu pai, que os que assim lhe falaram de meu procedimento estavam mal informados. Sou o amante da srta. Gautier, vivo com ela; é a coisa mais simples do mundo. Não dou à srta. Gautier o nome que recebi do senhor, gasto com ela o que os meus meios me permitem gastar, não tenho uma dívida sequer, e não estou em situação alguma que autorize um pai a dizer a um filho o que o senhor acaba de me dizer.

— Um pai tem sempre o direito de afastar o filho do mau caminho que teima em seguir. Você nada fez de mal, ainda, mas há de fazer.

— Meu pai!

— Jovem, conheço a vida muito mais do que imagina. Não há sentimentos inteiramente puros senão nas mulheres inteiramente castas. Toda Manon pode fazer um Des Grieux, e os tempos e os costumes estão mudados. Seria inútil que o mundo envelhecesse se ele não se corrigisse. Você abandonará sua amante.

— Fico muito contrariado ao desobedecer-lhe, meu pai, mas é impossível.

— Eu o obrigarei.

— Infelizmente, meu pai, não há mais ilhas de Santa Margarida, para onde se enviem as cortesãs e ainda que houvesse eu acompanharia a srta. Gautier se o senhor conseguisse que a enviassem. Que quer? Errei, talvez, mas não poderei ser feliz senão como o amante dessa mulher.

— Vamos, Armand, abra os olhos. Reconheça seu pai que sempre o amou e que não quer senão o seu bem. É direito você vir viver maritalmente com uma mulher que todo o mundo já possuiu?

— Que importa isso, meu pai, se ninguém mais a vai possuir? Que importa, se essa mulher me ama, se se regenera pelo amor que tem por mim e pelo amor que tenho por ela? Que importa, enfim, se existe a conversão?

— Eh? Acha então, você, que a missão de um homem de honra seja converter as cortesãs? Acha então que Deus deu esse objetivo grotesco à vida e que o coração não deve ter outro entusiasmo senão esse? Qual será a conclusão dessa cura maravilhosa e que pensará você do que está dizendo, quando chegar aos quarenta anos? Você rirá do seu amor, se ainda puder rir então, se não tiver deixado traços demasiadamente profundos sobre o seu passado. Que seria você hoje se seu pai tivesse tido as suas ideias e entregado a vida a todos os suspiros de amor, em lugar de estabelecer inquebravelmente o amor sobre um fundamento de honra e de lealdade? Reflita, Armand, e não diga mais semelhantes tolices. Vamos, abandone essa mulher, seu pai lhe suplica.

Nada respondi.

— Armand — continuou meu pai — em nome de sua santa mãe, acredite-me, renuncie a essa vida que você há de esquecer mais cedo do que pensa, e à qual o prende uma teoria impossível. Você tem vinte e quatro anos, pense no futuro. Não poderá amar eternamente essa mulher que tampouco o amará sempre. Estão os dois exagerando o amor. Você fecha para si todas as carreiras. Um passo a mais e você não mais poderá abandonar a estrada que está seguindo e terá, pelo resto da vida, o remorso de sua juventude. Viaje, venha passar um ou dois meses ao lado de sua irmã. O repouso e o amor cristão da família hão de curá-lo logo dessa febre, pois não é mais do que isso. Durante esse espaço de tempo sua amante se consolará, achará outro homem e quando você vir por causa de quem se aborrecia com seu pai e perdia sua afeição, você mesmo reconhecerá que fiz bem em vir procurá-lo e me agradecerá. Então, você vai partir, não vai, Armand?

Eu achava que meu pai tinha razão quanto a todas as mulheres, mas estava convencido de que não tinha razão quanto a Marguerite. E no entanto o tom com que me dissera as últimas palavras era tão doce, tão suplicante, que eu não ousava responder.

— Então? — fez ele com a voz emocionada.

— Então, meu pai, nada posso prometer — respondi por fim. — O que o senhor me pede está acima de minhas forças. Acredite em mim — continuei ao vê-lo fazer um movimento de impaciência — o senhor exagerou os resultados dessa ligação. Marguerite não é a mulher que o senhor julga. Esse amor, longe de me atirar a uma vida de erro, é capaz, pelo contrário, de desenvolver em mim os mais nobres sentimentos. O amor verdadeiro aperfeiçoa sempre, seja qual for a mulher que o inspire. Se o senhor conhecesse Marguerite veria que a nada me exponho. Ela é nobre como as mulheres mais nobres. O quanto há de cobiça nas outras, há de desinteresse nela.

— Não é isso o que a impede de aceitar toda a sua fortuna, pois os sessenta mil francos que você recebeu de sua mãe e que lhe entreguei são, lembre-se bem do que digo, sua única fortuna.

Meu pai havia provavelmente guardado esse fecho e essa ameaça para me dar o último golpe.

Fui mais forte diante de suas ameaças do que ante as súplicas.

— Quem lhe disse que pretendo ceder a ela essa soma? — perguntei.

— Meu tabelião. Um homem honesto poderia fazer uma coisa dessas sem me prevenir? Pois bem, foi para impedir a sua ruína em favor dessa mulher que vim a Paris. Sua mãe lhe deixou, ao morrer, o necessário para viver honradamente, e não para fazer generosidades com as suas amantes.

— Eu lhe juro, pai, Marguerite ignorava esse donativo.
— E por que o faz, então?
— Porque Marguerite, essa mulher que o senhor calunia e quer que eu abandone, sacrifica tudo o que possui para viver comigo.
— E você aceita esse sacrifício. Que espécie de homem é você para permitir a uma srta. Marguerite sacrificar-lhe qualquer coisa? Vamos, basta! Você abandonará essa mulher! Há pouco eu lhe pedia, agora ordeno. Não quero semelhantes nódoas na família. Faça as malas e prepare-se para me acompanhar.
— Perdoe-me, meu pai — disse eu então —, mas não partirei.
— E por quê?
— Porque já tenho idade para não obedecer a uma ordem.
Meu pai empalideceu ante essas palavras.
— Pois bem, senhor — respondeu —, sei o que me resta fazer.
Tocou a campainha.
Joseph surgiu.
— Mande levar minhas malas ao hotel de Paris — ordenou ele ao empregado. Em seguida passou ao quarto, onde acabou de se vestir.
Quando tornou a aparecer, fui até ele.
— Promete, meu pai, nada fazer que possa causar mal a Marguerite?
Meu pai estacou, olhou-me com desdém e contentou-se com responder:
— Acho que o senhor está louco.
Após o que, saiu, batendo violentamente a porta atrás de si.
Desci, por minha vez, tomei um cabriolé e segui para Bougival.
Marguerite esperava-me à janela.

Capítulo XXI

— Enfim! — gritou ela, saltando-me ao pescoço. — Você chegou! Mas como está pálido!

Então contei a cena com o meu pai.

— Ah, meu Deus! Eu já imaginava isso — disse ela. — Quando Joseph veio avisar da chegada do seu pai, tremi como se fosse o aviso de uma calamidade. Pobre amigo, sou eu que lhe causo todos esses sofrimentos. Seria talvez melhor você me deixar do que brigar com seu pai. E, no entanto, nada lhe fiz. Vivemos tão tranquilos, vamos viver mais tranquilos ainda. Ele sabe muito bem que você precisa de ter uma amante e deveria estar satisfeito de ser eu, que o amo e não ambiciono mais do que é possível com a situação que você tem. Você disse a ele dos nossos planos para o futuro?

— Disse e foi o que mais o irritou, pois viu nessa determinação uma prova do nosso amor.

— Que vamos fazer então?

— Permanecer juntos, minha boa Marguerite, e deixar passar a tempestade.

— Será que passa?

— Tem de passar.

— Mas seu pai não irá fazer pé firme?

— Que quer você que ele faça?

— Que sei eu? Tudo o que um pai pode fazer para obrigar um filho a obedecer. Há de lembrar a você o meu passado e talvez me faça a honra de inventar uma história nova para que você me abandone.

— Você sabe muito bem que a amo.

— Sim, mas sei também que mais cedo ou mais tarde será preciso obedecer a seu pai e você talvez acabe deixando-se convencer.

— Não, Marguerite. Sou eu que o vou acabar convencendo. São as intrigas de alguns dos seus amigos que provocam essa raiva enorme. Mas ele é bom, é justo, e há de voltar atrás sobre a primeira impressão. E depois, afinal de contas, que me importa?

— Não diga isso, Armand! Preferia tudo a dar a entender que o faço romper com a família. Deixe passar este dia e volte amanhã a Paris. Seu pai terá refletido por seu lado, como você refletiu do seu, e talvez os dois se entendam melhor. Não fira os princípios dele, dê a impressão de fazer algumas concessões aos seus desejos. Faça como se não se incomodasse tanto comigo e ele deixará as coisas como estão. Tenha esperança, meu amigo, e fique certo de uma coisa: haja o que houver, sua Marguerite ficará com você.

— Você jura?

— Será que preciso jurar?

Como é doce deixar-se persuadir por uma voz amada! Marguerite e eu passamos o dia inteiro repetindo nossos projetos como se houvéssemos compreendido a necessidade de realizá-los mais cedo. Esperávamos qualquer novidade a cada instante, mas felizmente o dia se passou sem haver nada de novo.

No dia seguinte parti às dez horas, e ao meio-dia estava no hotel. Meu pai já havia saído.

Fui até minha casa, onde esperava que ele talvez tivesse ido. Ninguém aparecera. Fui ao tabelião. Ninguém!

Voltei ao hotel e esperei até as seis. O sr. Duval não voltou. Retomei o caminho de Bougival.

Encontrei Marguerite não mais à minha espera, como na véspera, mas sentada junto ao fogo que a estação do ano já exigia.

Estava tão imersa em suas meditações que me permitiu chegar junto à poltrona sem me escutar e sem se virar. Quando lhe pousei os lábios na fronte ela tremeu como se o beijo a tivesse despertado em sobressalto.

— Você me assustou — disse. — E seu pai?

— Não o vi. Não sei o que isso quer dizer. Não o encontrei no hotel, nem nos lugares aonde havia probabilidade de que ele fosse.

— Então é começar de novo, amanhã.

— Tenho bastante vontade de esperar que ele me chame. Já fiz, penso, tudo o que devia fazer.

— Não, meu amigo, não é o bastante. É preciso voltar ao hotel, amanhã principalmente.

— Por que amanhã mais do que outro dia?

— Porque — respondeu Marguerite, que me pareceu enrubescer com a pergunta — a insistência da parte de você lhe parecerá mais forte e o nosso perdão será mais breve.

Todo o resto do dia Marguerite passou preocupada, distraída e triste. Eu era forçado a repetir o que dizia para obter uma resposta. Ela justificou a preocupação com os temores inspirados quanto ao futuro pelos acontecimentos dos dois últimos dias.

Passei a noite a acalmá-la e ela me fez partir no dia seguinte com uma insistência inquieta que não consegui explicar.

Como na véspera, meu pai estava ausente, mas deixara ao sair uma carta:

"*Se o senhor voltar a me procurar hoje, espere-me até as quatro horas. Se eu não tiver chegado até as quatro, volte amanhã para jantar. Preciso falar-lhe.*"

Esperei até a hora indicada. Meu pai não apareceu e eu me fui embora.

Na véspera encontrara Marguerite triste. Dessa vez encontrei-a febril e agitada. Ao ver-me entrar, saltou-me ao pescoço, mas chorou muito tempo nos meus braços.

Perguntei-lhe por que essa dor súbita, cujo crescimento me alarmava. Ela não me deu motivo algum razoável, alegando tudo o que uma mulher pode alegar quando não quer dizer a verdade.

Quando ela ficou mais calma, contei-lhe os resultados da viagem, mostrei-lhe a carta de meu pai e comentei que daí podíamos esperar alguma melhora.

À vista da carta e da reflexão que fiz, suas lágrimas redobraram a tal ponto que chamei Nanine e, temendo um acesso nervoso, deitamos a pobre moça, que chorava sem dizer palavra mas segurava minhas mãos e as beijava a cada instante.

Perguntei a Nanine se durante minha ausência a senhora recebera alguma carta, ou visita que pudesse causar o estado de nervos em que a encontrara, mas Nanine respondeu que ninguém aparecera e nada fora recebido.

E, no entanto, desde a véspera algo se passava, tanto mais inquietante quanto mais Marguerite o escondia.

À noite ela parecia um pouco mais calma e, fazendo-me sentar junto do leito, renovou-me longamente a certeza do seu amor. Depois sorriu, mas com esforço, porque, contra a sua vontade, seus olhos se enchiam de lágrimas.

Empreguei todos os meios para fazer revelar a causa desse sofrimento, mas ela se obstinou em me dar sempre as razões vagas que já citei.

Acabou dormindo em meus braços, mas com esse sono que pisa o corpo, em vez de repousá-lo. De vez em quando dava um grito, acordava em sobressalto e, depois de se certificar de que eu estava a seu lado, fazia-me jurar que a amaria eternamente.

Nada compreendi dessas crises de dor intermitente que se prolongaram até de manhã. Então Marguerite tombou numa espécie de torpor. Havia duas noites que não dormia.

Esse repouso não durou muito.

Perto das onze horas, ela acordou e, ao me ver de pé, olhou em torno e gritou:

— Então você já vai?

— Não — respondi, tomando-lhe as mãos — mas quis deixar você dormir. Ainda é cedo.

— A que horas você vai a Paris?

— Às quatro horas.

— Tão cedo? Mas até lá você ficará comigo, não?

— Sem dúvida. Não costumo sempre ficar?

— Que bom! Vamos almoçar? — continuou ela com expressão contrafeita.

— Se você quiser.

— E depois você vai abraçar-me até a hora de partir?

— Vou. E hei de voltar o mais breve possível.

— Você vai voltar? — perguntou ela com os olhos arregalados.

— Naturalmente.

— Está certo, você há de voltar à noite. Eu o esperarei como de costume e você me amará e seremos felizes como temos sido desde que nos conhecemos.

Todas essas palavras foram ditas de uma maneira tão impaciente e pareciam ocultar um pensamento doloroso tão constante, que eu temia ver Marguerite cair em delírio a qualquer momento.

— Escute — disse eu — você está doente; não posso deixá-la assim. Vou escrever a meu pai dizendo que não me espere.

— Não! Não! — gritou ela arrebatadamente. — Não faça isso! Seu pai vai acusar-me de novo de impedir você de ir visitá-lo quando quer ver você. Não, não, é preciso que você vá, é preciso! Além disso, não estou doente, estou muito bem. É que tive um pesadelo e não estava bem acordada.

A partir desse momento, Marguerite quis parecer mais alegre. Não chorou mais.

Quando chegou a hora da partida, abracei-a e perguntei se não queria acompanhar-me até a estrada de ferro. Esperava que o passeio a distraísse e que o ar fresco lhe fizesse bem.

Queria sobretudo passar todo o tempo possível com ela.

Ela aceitou, vestiu um casaco e acompanhou-me com Nanine, para não voltar sozinha.

Vinte vezes estive a ponto de não ir. Mas a esperança de voltar logo e o temor de indispor novamente meu pai impediram-me, e parti no trem.

— Até logo — disse a Marguerite ao deixá-la.

Ela não respondeu.

Já uma vez ela não me tinha respondido e o conde de G. — o senhor se recorda? — havia passado a noite com ela. Mas esses tempos estavam tão afastados que tudo parecia apagado de minha memória e se eu tivesse qualquer temor não era o de ser enganado por Marguerite.

Ao chegar a Paris, corri à casa de Prudence para lhe pedir que fosse visitar Marguerite, na esperança de que seu espírito e sua alegria a distraíssem.

Entrei sem me fazer anunciar e encontrei Prudence arrumando-se.

— Ah! — disse ela com ar inquieto. — Marguerite está com o senhor?

— Não.

— Como vai ela?

— Está adoentada.

— Então não vem hoje?

— E ela devia vir?

A sra. Duvernoy enrubesceu e disse com algum embaraço:

— Eu queria dizer: já que o senhor está em Paris, será que ela não vem ao seu encontro?

— Não.

Fitei Prudence. Ela baixou o olhar e em sua fisionomia pude perceber o receio de ver minha visita prolongar-se.

— Vinha mesmo pedir-lhe, minha cara Prudence, que se não tivesse o que fazer fosse visitar Marguerite esta noite. A senhora lhe faria companhia e poderia dormir lá. Nunca a vi no estado em que se encontra hoje e temo que fique doente.

— Hoje tenho um jantar — respondeu Prudence — e não poderei ver Marguerite à noite. Mas hei de vê-la amanhã.

Despedi-me da sra. Duvernoy, que me parecia quase tão preocupada quanto Marguerite, e fui ao hotel onde estava meu pai, cujo primeiro olhar foi de cuidadosa observação.

Estendeu-me a mão.

— Suas duas visitas deram-me prazer, Armand — disse ele. — Fizeram-me esperar que você tenha refletido pelo seu lado, como refleti do meu.

— Posso então saber, meu pai, quais foram os resultados dessa reflexão?

— Foram que, meu amigo, eu havia exagerado a importância do que me contaram e que prometi a mim mesmo ser menos severo com você.

— Que diz o senhor, meu pai! — exclamei, alegre.

— Digo, meu caro rapaz, que todo jovem deve ter uma amante e que, depois das últimas informações que recebi, prefiro ver você amante da srta. Gautier do que de outra qualquer.

— Meu excelente pai! Como me faz ficar contente!

Conversamos assim por mais alguns instantes, depois fomos para a mesa. Meu pai esteve encantador durante todo o tempo do jantar.

Eu tinha pressa de voltar a Bougival para contar a Marguerite a feliz alteração. A cada momento olhava o relógio.

— Você está preocupado com a hora — disse meu pai. — Está impaciente para me deixar. Oh, juventude! Sacrificareis sempre as sinceras afeições pelas afeições duvidosas?

— Não diga isso, meu pai! Marguerite me ama, estou certo disso.

Meu pai não respondeu. Não tinha o ar de quem duvida, nem o de quem acredita.

Insistiu muito em fazer-me passar a noite com ele, queria que eu partisse no dia seguinte. Mas eu deixara Marguerite adoentada, expliquei-lhe isso e pedi permissão para voltar cedo, prometendo retornar no dia seguinte.

O tempo estava ótimo. Ele fez questão de me acompanhar até a estação. Nunca eu me sentira tão feliz. O futuro me surgia como eu o queria ver havia tanto tempo.

Amava mais o meu pai do que nunca.

No momento de partir ele insistiu mais uma vez em que eu ficasse, mas recusei.

— Então você a ama, mesmo?

— Como louco.

— Vá, então! — E passou a mão pela fronte como se quisesse expulsar um pensamento, pois abriu a boca como se fosse dizer alguma coisa. Mas contentou-se em me apertar a mão e deixou-me de repente, exclamando:

— Até amanhã, então!

Capítulo XXII

Parecia que o trem não andava.

Cheguei a Bougival às onze horas.

Não havia uma única janela iluminada na casa e toquei sem obter resposta.

Era a primeira vez que me acontecia tal coisa. Por fim, apareceu o jardineiro. Entrei.

Nanine surgiu com uma lâmpada. Fui até o quarto de Marguerite.

— Onde está a senhora?

— A senhora partiu para Paris.

— Para Paris?

— Sim, senhor.

— Quando?

— Uma hora depois do senhor.

— E não deixou nenhum recado para mim?

— Não, senhor.

Nanine me deixou.

"É capaz de ela ter sofrido um dos seus temores", pensei eu, "e de ter ido a Paris verificar se a visita que eu disse que faria a meu pai não era apenas um pretexto para ter um dia de liberdade."

— Talvez Prudence tenha escrito a respeito de qualquer negócio importante — falei comigo mesmo quando me vi só. — Mas eu vi Prudence ao chegar e ela nada disse que me fizesse supor que havia escrito a Marguerite.

Subitamente, recordei aquela pergunta da sra. Duvernoy: — "Então não vem hoje?" — quando lhe falei da doença de Marguerite. Lembrei-me, ao mesmo tempo, do ar embaraçado de Prudence quando a fitei após aquela frase que parecia trair um encontro marcado. A essas lembranças juntava-se a das lágrimas que Marguerite derramara o dia inteiro, lágrimas que a boa acolhida de meu pai me havia feito esquecer por algum tempo.

A partir desse momento, todos os incidentes do dia vieram agrupar-se em torno da minha primeira suspeita e fixaram-se tão solidamente no meu espírito que tudo as confirmou, até mesmo a clemência paterna.

Marguerite chegara quase a exigir que eu fosse a Paris. Fingira estar calma quando sugeri ficar a seu lado. Teria eu caído em um ardil? Estaria Marguerite enganando-me? Teria ela contado estar de volta a tempo de que eu não me apercebesse de sua ausência e ficado presa por acaso? Por que nada dissera a Nanine, nem me escrevera? Que significavam suas lágrimas, sua ausência, esse mistério?

Eis o que eu me perguntava, apavorado, no meio do quarto vazio, com os olhos fixos no relógio que, marcando meia-noite, parecia dizer que já era tarde demais para que eu tivesse esperanças de ver ainda de volta a minha amante.

E no entanto, após as disposições que acabávamos de tomar, com o sacrifício oferecido e aceito, era admissível que ela me enganasse? Não. Tentei afugentar as primeiras suspeitas.

A pobre moça teria encontrado um comprador para sua mobília e teria ido a Paris fechar o negócio. Não teria querido prevenir-me porque, ainda que soubesse que eu concordava com essa venda, necessária à nossa felicidade e ao nosso futuro, mas penosa para mim, ela haveria de temer ferir meu amor-próprio e minha suscetibilidade, falando no assunto. Prefeririria, na certa, só aparecer quando estivesse tudo terminado. Prudence, evidentemente, esperava-a para isso e se traíra na minha frente. Marguerite não havia podido terminar o negócio no mesmo dia e ficara para dormir em casa dela, ou talvez fosse mesmo chegar em breve, pois devia prever minha inquietação e, certamente, não quereria preocupar-me.

Mas então por que as lágrimas? Sem dúvida, apesar do seu amor por mim, a pobre moça não se pôde resolver, sem pranto, a deixar o luxo no meio do qual vivera até então, e que a fazia feliz e invejada.

Eu perdoava de boa vontade esses arrependimentos a Marguerite. Esperava-a impaciente para lhe dizer, cobrindo-a de beijos, que adivinhara o motivo da sua ausência misteriosa.

E no entanto a noite avançava e Marguerite não aparecia.

Aos poucos, a inquietação apertava o cerco, constringindo-me a cabeça e o coração. Talvez alguma coisa lhe tivesse acontecido! Talvez estivesse ferida, doente, morta! Talvez eu fosse ver chegar um mensageiro anunciando algum acidente doloroso! Talvez o dia me encontrasse ainda na mesma incerteza, com os mesmos receios!

A ideia de que Marguerite me enganava, nessa hora em que eu a esperava envolto em terrores causados pela sua ausência, não me voltava à cabeça. Seria necessário um motivo independente da sua vontade para retê-la longe de mim, e, quanto mais eu pensava, mais ficava certo de que só poderia ser uma dificuldade qualquer. Ó vaidade masculina! Tu te apresentas sob todas as formas.

Acabava de soar uma hora. Resolvi que esperaria mais uma hora e que, se às duas Marguerite não estivesse de volta, eu iria a Paris.

Enquanto esperava abri um livro, pois não ousava mais pensar. *Manon Lescaut* estava aberto sobre a mesa. Pareceu-me que de trechos em trechos as páginas estavam úmidas, como se tivessem sido molhadas de lágrimas. Após tê-lo folheado, tornei a fechar o livro, cujas letras não pareciam formar sentido através do véu de minhas dúvidas.

A hora passava devagar. O céu estava encoberto. Uma chuva de outono fustigava os vidros. O leito vazio parecia-me, por momento, tomar o aspecto de um túmulo. Tive medo.

Abri a porta. Escutava e nada ouvia além do ruído do vento entre as árvores. Nem um carro passava pela estrada. A meia hora soou tristemente no carrilhão da igreja.

Cheguei a temer a entrada de alguém. Parecia-me que só uma calamidade me poderia chegar a tal hora e com aquele tempo sombrio.

As duas horas soaram. Esperei ainda um pouco. Somente a pêndula perturbava o silêncio com seu tique-taque monótono e cadenciado.

Por fim abandonei o quarto cujos menores objetos haviam adquirido esse aspecto triste que a solidão inquieta espalha sobre tudo que a cerca.

No aposento vizinho encontrei Nanine que dormia sobre o seu trabalho. Ao ruído da porta acordou e perguntou se a senhora voltara.

— Não, mas se voltar você lhe dirá que não pude resistir à aflição e parti para Paris.

— A esta hora?

— Sim.

— Mas como? O senhor não vai encontrar condução!

— Vou a pé.

— Mas está chovendo.

— Que importa?

— A senhora vai voltar, ou então, se não voltar, será melhor ir de dia ver o que a deteve. O senhor vai acabar sendo assassinado na estrada.

— Não há perigo, minha cara Nanine. Até amanhã.

A boa moça ajudou-me a procurar o capote, colocou-o sobre meus ombros e se ofereceu para ir acordar a sra. Arnould, para saber se era possível obter uma viatura. Mas eu me opus, convencido de que perderia, nessa tentativa talvez infrutífera, mais tempo do que gastaria para percorrer a metade do caminho.

Além disso, eu sentia necessidade de ar fresco e de uma fadiga física que me acalmasse a superexcitação que me dominara.

Peguei a chave do apartamento da rua Antin e, depois de dizer adeus a Nanine, que me acompanhou até o portão, afastei-me.

Pus-me então a correr, mas a terra estava muito molhada e meu cansaço era duplo. Ao fim de meia hora dessa corrida fui obrigado a parar. Suava em bicas. Tomei fôlego e continuei o caminho. A noite estava tão escura que eu temia a qualquer momento chocar-me contra uma das árvores da estrada que, aparecendo subitamente ante os meus olhos, pareciam enormes fantasmas que corriam sobre mim.

Encontrei uma ou duas carroças, que logo deixei para trás.

Uma caleça dirigia-se a trote largo para os lados de Bougival. Quando passou por mim, veio-me a esperança de que Marguerite estivesse dentro.

Parei, gritando:

— Marguerite! Marguerite!

Mas ninguém respondeu e a caleça continuou pela estrada. Vi-a afastar-se e continuei.

Levei duas horas para atingir a porta da Étoile.

A vista de Paris devolveu-me as forças e desci correndo a grande alameda que percorrera tantas vezes.

Nessa noite ninguém passava por lá.

Dir-se-ia o jardim de uma cidade morta.

O dia começava a raiar.

Quando cheguei à rua Antin a grande cidade mexia-se um pouco, antes de acordar de fato.

Batiam as cinco horas na igreja de São Roque no momento em que entrei na casa de Marguerite.

Disse meu nome ao porteiro, que já havia recebido de mim bastantes moedas de vinte francos para saber que eu tinha o direito de vir às cinco horas ao apartamento da srta. Gautier.

Passei, portanto, sem dificuldade.

Poderia ter-lhe perguntado se Marguerite estava, mas talvez me respondesse que não e eu preferia duvidar por mais dois minutos, pois enquanto duvidava ainda tinha esperança.

Encostei o ouvido à porta, tentando surpreender um ruído, um movimento.

Nada. O silêncio do campo parecia estender-se até ali.

Abri a porta e entrei.

Todas as cortinas estavam bem fechadas.

Puxei as da sala de refeições e dirigi-me ao quarto de dormir, cuja porta empurrei.

Agarrei o cordão das cortinas e puxei-o violentamente.

As cortinas afastaram-se, a fraca luz do dia penetrou e eu corri para o leito.

Estava vazio!

Abri todas as portas, uma a uma, olhei em todos os aposentos.

Ninguém.

Era de enlouquecer.

Passei ao banheiro, abri a janela e chamei Prudence várias vezes.

A janela da sra. Duvernoy continuou fechada.

Então desci até o quarto do porteiro, a quem perguntei se a srta. Gautier estivera no apartamento durante o dia.

— Esteve, sim — respondeu o homem. — Com a sra. Duvernoy.

— Não deixou recado para mim?

— Nada.

— Sabe o que fizeram elas em seguida?

— Saíram de carro.

— Que espécie de carro?
— Um *coupé* particular.
Que quereria dizer tudo isso?
Toquei a campainha da porta vizinha.
— Onde vai o senhor? — perguntou o outro porteiro, após abrir.
— Ao apartamento da sra. Duvernoy.
— Ela ainda não chegou.
— Está certo disso?
— Sim, senhor. Tenho até uma carta, aqui, que entregaram ontem à noite e que não pude ainda entregar.

E o porteiro mostrava uma carta, sobre a qual passei maquinalmente os olhos.

Reconheci a letra de Marguerite.

Peguei-a.

O endereço dizia o seguinte:

A madame Duvernoy, para remeter ao sr. Duval.

— Essa carta é para mim — disse eu, mostrando o endereço.
— É o sr. Duval?
— Sou.
— Ah, estou-o reconhecendo, o senhor vem sempre à casa da sra. Duvernoy.

Ao chegar à rua, rompi o selo da carta.

Se um raio me caísse aos pés, eu não ficaria tão espantado quanto fiquei com essa leitura.

Quando você ler esta carta, Armand, já serei amante de outro homem. Tudo está, pois, terminado entre nós.

Volte para junto de seu pai, meu amigo, vá rever sua irmã, moça casta, ignorante de todas as nossas misérias, perto de quem esquecerá bem depressa o que lhe terá feito sofrer esta mulher perdida a que chamam Marguerite Gautier, a quem você resolveu amar por um instante e que lhe deve os únicos momentos felizes de uma vida que, ela o espera, não será agora muito longa.

Quando li a última palavra, julguei que ia enlouquecer.

Houve um momento em que receei realmente cair no meio da rua. Uma nuvem passou-me pelos olhos e o sangue golpeava-me as têmporas.

Enfim me controlei um pouco, olhei em volta, espantado de ver a vida dos outros continuar sem que ninguém se preocupasse com a minha desgraça.

E não era suficientemente forte para suportar sozinho o golpe que Marguerite me desferira.

Então me lembrei de que meu pai estava na mesma cidade que eu, que em dez minutos poderia estar com ele e que, qualquer que fosse a causa da minha dor, ele a partilharia comigo.

Corri como louco, como um ladrão, até o hotel de Paris. Encontrei a chave na porta do apartamento de meu pai. Entrei.

Ele lia.

Pelo pouco que se espantou ao ver-me, parecia já me esperar.

Precipitei-me em seus braços sem lhe dizer palavra, entreguei-lhe a carta de Marguerite e, deixando-me cair junto ao seu leito, chorei lágrimas sentidas.

Capítulo XXIII

Quando todas as atividades retomaram seu curso normal, não pude acreditar que o dia que começava não seria para mim semelhante aos que o haviam precedido. Havia momentos em que eu imaginava que uma circunstância qualquer, não me lembrava qual, me havia feito passar a noite longe de Marguerite mas que, se voltasse a Bougival, iria encontrá-la inquieta como eu estivera e que ela me perguntaria o motivo que me retivera assim afastado dela.

Quando a vida se transformou em hábito como o desse amor, parece impossível que esse hábito se rompa sem quebrar ao mesmo tempo todas as outras coisas.

Fui portanto forçado a reler, de vez em quando, a carta de Marguerite para me convencer de que não sonhara.

Meu corpo, sucumbido pelo abalo moral, estava incapaz de um movimento. A inquietação, a marcha noturna, a notícia ao alvorecer haviam-me arrasado. Meu pai aproveitou-se dessa prostração total das minhas forças para me pedir a promessa formal de voltar com ele.

Prometi tudo o que ele quis. Estava incapaz de sustentar uma discussão e sentia necessidade de uma afeição real para me ajudar a viver depois do que acabava de se passar.

Fiquei muito satisfeito por meu pai querer consolar-me de tal sofrimento.

Tudo o que recordo é que nesse dia, por volta das cinco horas, ele me fez subir a seu lado numa carruagem de muda. Sem nada dizer, ele havia mandado preparar minhas malas, amarrá-las juntamente com as dele atrás do veículo e me levou consigo.

Não tive consciência do que fazia senão quando a cidade desapareceu e a solidão da estrada me recordou o vazio do coração.

Então as lágrimas me vieram outra vez.

Meu pai havia compreendido que palavras, mesmo dele, não me consolariam e deixou que eu chorasse sem intervir, contentando-se em segurar-me a mão, às vezes, como que para me lembrar de que tinha um amigo ao lado.

À noite dormi um pouco. Sonhei com Marguerite.

Acordei sobressaltado, sem compreender por que estava em uma carruagem.

Depois a realidade me veio à memória e deixei cair a cabeça sobre o peito.

Não ousava falar a meu pai, receando sempre que ele dissesse:

— Você vê como eu tinha razão ao negar o amor daquela mulher?

Mas ele não abusou da sua superioridade e chegamos a C. sem que me tivesse dito outra coisa senão palavras inteiramente estranhas ao acontecimento que me fizera partir.

Quando beijei minha irmã, lembrei-me das palavras de Marguerite, na carta, a seu respeito, mas compreendi logo que por melhor que fosse minha irmã não seria capaz de me fazer esquecer a amante.

Estávamos na estação de caça e meu pai julgou que isso me serviria de distração. Organizou então partidas de caça com vizinhos e amigos. Eu ia sem relutância, mas também sem entusiasmo, com essa espécie de apatia que caracterizava minhas ações depois da viagem.

Caçamos com batedores. Levaram-me ao meu posto. Coloquei o fuzil desarmado a meu lado e fiquei sonhando.

Via passarem as nuvens. Deixei que meu pensamento errasse pelas planícies solitárias e de vez em quando ouvia algum caçador chamar-me, mostrando a lebre a dez passos de mim.

Nenhum desses pormenores escapou a meu pai e ele não se deixou enganar pela minha calma aparente. Compreendia bem que, por mais abatido que estivesse, meu coração teria um dia uma reação terrível, talvez perigosa. Assim, evitando a aparência de querer consolar-me, fazia o possível para me distrair.

Minha irmã, naturalmente, não estava a par dos acontecimentos e não compreendia como eu, que costumava ser tão alegre, me tornara subitamente tão sonhador e tão triste.

Às vezes, surpreendido no meio de minha tristeza pelo olhar inquieto de meu pai, estendia-lhe a mão e apertava a sua, como que num pedido tácito de perdão pelo mal que mau grado meu lhe causava.

Um mês se passou assim, e foi o máximo que pude suportar.

A lembrança de Marguerite perseguia-me sem cessar. Amara e amava ainda demasiadamente aquela mulher para que de súbito ela pudesse tornar-se indiferente para mim. Era preciso que eu a amasse ou que a odiasse. Era preciso, sobretudo, qualquer que fosse o meu sentimento para com ela, que a revisse; e isso imediatamente.

Esse desejo dominou-me o espírito e fixou-se com toda a violência da vontade que reaparece, enfim, num corpo há muito tempo inerte.

Não era no futuro, dentro de um mês, dentro de oito dias, que eu precisava de Marguerite; era no dia seguinte, mesmo, àquele em que tive a ideia. E fui dizer a meu pai que o deixaria por causa de negócios que me chamavam a Paris, mas que voltaria imediatamente.

Ele adivinhou sem dúvida o motivo que me levava, pois insistiu em que eu ficasse. Mas, ao ver que a não realização desse desejo, no estado de irritação em que eu me achava, poderia ter consequências fatais para mim, beijou-me e me pediu, quase em lágrimas, que voltasse breve para junto dele.

Não dormi antes de chegar a Paris.

Uma vez chegado, que fazer? Não sabia. Mas era preciso, antes de tudo, ocupar-me de Marguerite.

Fui à minha casa vestir-me e como o tempo estava bonito e ainda era hora, dirigi-me aos Campos Elísios.

Ao fim de meia hora vi aproximar-se, ao longe, em direção à praça da Concórdia, a viatura de Marguerite.

Ela havia readquirido os seus cavalos, pois a viatura estava como antes. Somente que ela não estava dentro.

Apenas notara essa ausência, olhando em volta, vi Marguerite que voltava a pé, acompanhada de uma mulher que eu nunca vira.

Passando a meu lado, ela empalideceu e um sorriso nervoso crispou-lhe os lábios. Senti que uma batida violenta do coração sacudia-me o peito. Mas consegui manter uma expressão fria na fisionomia e friamente saudei minha antiga amante, que logo atingiu sua viatura e nela subiu com a sua amiga.

Eu conhecia Marguerite. O encontro inesperado devia tê-la perturbado. Sem dúvida soubera da minha partida, que a tranquilizara sobre as consequências do rompimento. Mas, ao me rever, e ao se encontrar face a face comigo, pálido como eu estava, compreendera que havia um objetivo na minha volta e devia estar imaginando o que iria acontecer.

Se eu tivesse encontrado Marguerite infeliz, se para me vingar dela eu pudesse ir em sua ajuda, talvez lhe tivesse perdoado e não teria certamente pensado em fazer-lhe mal. Mas encontrava-a satisfeita, pelo menos na aparência. Um outro lhe devolvera o luxo que eu não conseguira manter. Nosso rompimento, provocado por ela, tomava consequentemente o caráter do mais sórdido interesse. Fiquei humilhado em meu amor-próprio como em meu amor. Era preciso que ela pagasse pelo que eu sofrera.

Eu não podia ser indiferente às ações daquela mulher; portanto, o que lhe deveria magoar mais seria justamente minha indiferença. Era, então, esse o sentimento que eu deveria aparentar, não somente a seus olhos como também aos olhos de todos.

Tentei afetar uma expressão sorridente e fui à casa de Prudence.

A criada de quarto foi anunciar-me e fez-me esperar alguns instantes no salão.

A sra. Duvernoy apareceu por fim e me levou à saleta. No momento em que me sentei ouvi abrir-se a porta do salão e um passo leve fez gemer o soalho. Depois, a porta da rua fechou-se com violência.

— Incomodo? — perguntei a Prudence.

— Em absoluto. Marguerite estava aqui. Quando ouviu seu nome, fugiu. Foi ela que acabou de sair.

— Então, agora lhe faço medo?

— Não, mas ela receia que lhe seja desagradável tornar a vê-la.

— Ora, por quê? — disse eu fazendo um esforço para respirar, pois a emoção me sufocava. — A pobre moça deixou-me para reaver sua viatura, seus móveis e seus brilhantes. Fez bem e não devo ficar aborrecido. Encontrei-a hoje — continuei, displicentemente.

— Onde? — perguntou Prudence, que me olhava e parecia indagar-se se esse homem era o mesmo que ela conhecera tão apaixonado.

— Nos Campos Elísios. Ela estava com outra moça, muito bonita. Quem é?

— Como é a moça?

— Loura, delgada, de cabelos encaracolados. Olhos azuis, muito elegante.

— Ah, é Olympe. Muito bonita, na verdade.

— Com quem vive ela?

— Com ninguém e com todo o mundo.

— E onde mora?

— Na rua Tronchet n.º... Ora, então o senhor vai fazer-lhe a corte?

— Não se sabe o que pode acontecer.

— E Marguerite?

— Dizer que não penso mais nela seria mentir, mas sou desses homens para quem o modo de romper faz muita diferença. Ora, Marguerite deixou-me de uma maneira tão leviana que me considero bem tolo por ter-me apaixonado por ela daquele jeito, porque estive verdadeiramente apaixonado por aquela mulher.

O senhor adivinha com que tom de voz procurei dizer aquilo: as gotas me corriam pela testa.

— Ela o amava muito, ora essa, e ainda ama. A prova é que após tê-lo encontrado hoje veio correndo falar-me do encontro. Quando chegou estava toda trêmula, quase sentindo-se mal.

— E então, que disse ela?

— Disse: "Sem dúvida ele virá ver você" e me pediu que lhe implorasse perdão para ela.

— Já perdoei, pode dizer-lhe isso. É uma boa mulher, mas é uma mulher. O que me fez eu já devia esperar. Sou-lhe mesmo grato pela sua resolução, pois hoje me pergunto aonde nos teria levado a minha ideia de viver com ela. Foi uma loucura.

— Ela ficará muito contente ao saber que o senhor compreendeu a necessidade em que ela se encontrava. Era já tempo de abandoná-lo, meu amigo. O negociante ganancioso, a quem ela propusera vender seu mobiliário, fora procurar os credores para saber quanto ela lhes devia. Os credores ficaram amedrontados e o leilão ia ser dentro de dois dias.

— E agora está tudo pago?

— Quase tudo.

— E quem entrou com o dinheiro?

— O conde de N. Ah, meu caro, há homens feitos sob medida para isso! Em suma, deu vinte mil francos, mas conseguiu o que queria. Ele bem sabe que Marguerite não está apaixonada por ele, o que não o impede de ser bem generoso. O senhor viu, ele readquiriu para ela os cavalos, retirou suas joias do penhor e dá-lhe tanto dinheiro quanto lhe dava o duque. Se ela quiser viver tranquilamente, esse homem ficará muito tempo com ela.

— E que faz Marguerite? Mora em Paris mesmo?

— Nunca mais quis voltar a Bougival, depois que o senhor partiu. Fui eu que busquei todas as suas coisas, assim como as do senhor, que estão embrulhadas e que o senhor pode mandar apanhar aqui. Está tudo, exceto uma carteira com a sua inicial, que Marguerite resolveu guardar e que está em casa dela. Se o senhor quiser posso pedir-lhe que a devolva.

— Que fique com ela — balbuciei, pois sentia as lágrimas subirem do coração para os olhos à lembrança daquela aldeia onde fora tão feliz e ante a ideia de que Marguerite quisera guardar uma coisa minha que fazia com que se lembrasse de mim.

Se ela tivesse entrado nesse momento, meus planos de vingança teriam desaparecido e eu teria caído aos seus pés.

— Aliás — continuou Prudence — nunca a vi como está atualmente: quase não dorme mais, corre os bailes todos, chega a embriagar-se. Há pouco, após um jantar, ficou oito dias de cama. E quando o médico lhe permitiu levantar-se, ela recomeçou tudo, com risco de morrer. O senhor vai visitá-la?

— Para quê? Vim ver a senhora porque sempre foi muito gentil comigo e porque a conheci antes de Marguerite. É à senhora que devo o fato de ter sido amante dela, como também é à senhora que devo o de não o ser mais, não é verdade?

— Ah, bom! Fiz tudo o que podia para que ela o deixasse e creio que mais tarde o senhor não ficará aborrecido comigo por isso.

— Devo-lhe duplo reconhecimento — continuei, levantando-me — porque já estava cansado de ver aquela mulher levar a sério tudo o que eu lhe dizia.
— O senhor já vai?
— Já.
Sabia já o suficiente.
— Quando voltará a aparecer?
— Brevemente. Adeus.
— Adeus.

Prudence acompanhou-me até a porta e voltei para casa com lágrimas de raiva nos olhos e uma sede de vingança no coração.

Marguerite era, portanto, uma mulher como as outras. O amor profundo que tinha por mim não havia, então, lutado contra o desejo de retomar a vida passada, nem contra a necessidade de possuir uma carruagem e de fazer orgias.

Eis aí o que eu pensava em meio às minhas insônias; entretanto, se eu tivesse refletido tão friamente como fingia, teria visto nessa ruidosa vida nova de Marguerite a esperança que a invadia de fazer calar uma ideia sempre presente, uma lembrança teimosa.

Infelizmente, a paixão do mal dominava-me e eu não procurava senão um meio de torturar a pobre criatura.

O homem é bem mesquinho e bem astuto quando uma de suas íntimas paixões é ferida!

Essa Olympe, com quem a vira, era, senão a amiga de Marguerite, pelo menos a que mais comumente a acompanhava, desde que ela retornara a Paris. Ia dar uma festa e, como eu supunha que Marguerite haveria de comparecer, procurei conseguir um convite e o obtive.

Quando, cheio das minhas dolorosas emoções, cheguei ao baile, a animação já era grande. Dançavam, gritavam mesmo, e numa das quadrilhas vi Marguerite com o conde de N., que parecia todo orgulhoso de poder exibi-la, dando a impressão de dizer a todos:

— Essa mulher me pertence!

Fui encostar-me à chaminé, bem em frente de Marguerite, e passei a observá-la. Logo que me viu, atrapalhou-se. Encarei-a e a cumprimentei distraidamente com a mão e com os olhos.

Quando eu pensava que depois da festa não seria comigo, mas com esse rico imbecil que ela iria, quando eu imaginava o que provavelmente haveria de seguir-se à chegada dos dois em casa, o sangue me subia à cabeça e eu sentia a necessidade de perturbar os seus amores.

Após a contradança fui cumprimentar a dona da casa, que exibia aos olhos dos convidados espáduas magníficas e metade de um colo deslumbrante.

Era uma bela mulher, e, quanto ao físico, mais bela do que Marguerite. Fiquei ainda mais convencido disso depois de certos olhares que esta lançou sobre Olympe enquanto eu lhe falava. O homem que se fizesse amante dessa mulher poderia ficar tão orgulhoso quanto o conde de N.; ela possuía suficiente beleza para inspirar paixão igual à que Marguerite me inspirara.

Nessa época ela não tinha amante algum. Não seria difícil consegui-lo. Tudo estava em mostrar bastante ouro, para chamar-lhe a atenção.

A resolução foi tomada. Essa mulher seria minha amante.

Comecei meu papel de candidato dançando com Olympe.

Meia hora mais tarde, pálida como a morte, Marguerite cobriu-se com sua peliça e deixou a festa.

Capítulo XXIV

Já era alguma coisa, mas não o bastante. Compreendi então o domínio que exercia sobre aquela mulher e abusei covardemente.

Quando me lembro de que agora ela está morta, pergunto-me se um dia Deus me perdoará pelo mal que lhe fiz.

Após a ceia, que foi das mais alegres, começou o jogo.

Sentei-me ao lado de Olympe e apostei meu dinheiro com tanto desprendimento que ela não podia deixar de notar isso. Em um momento ganhei cento e cinquenta ou duzentos luíses, que espalhei à minha frente e sobre os quais ela fixou um olhar esbraseado.

Era eu o único a quem o jogo não absorvia inteiramente e que dava atenção a ela. Ganhei durante o resto da noite e fui eu que lhe dei dinheiro para jogar, pois ela havia perdido tudo o que tinha à sua frente e provavelmente em casa.

Às cinco horas da manhã chegou o momento de nos despedirmos.

Eu ganhara trezentos luíses.

Todos os jogadores já haviam descido. Eu ficara para trás, sozinho e despercebido, pois não era amigo de convidado algum.

Olympe, em pessoa, iluminava a escada e eu ia descer como os outros quando, voltando até onde ela estava, disse:

— Preciso falar-lhe.
— Amanhã — respondeu.
— Não, agora.
— Que tem a dizer-me?
— A senhora saberá.
E voltei ao apartamento.
— A senhora perdeu — disse.
— Perdi.
— Tudo o que possuía em casa?
Ela hesitou.
— Fale com franqueza.
— Pois bem, é verdade.
— Ganhei trezentos luíses. Ei-los, se me permitir que fique aqui.
E ao mesmo tempo que falava joguei o dinheiro sobre a mesa.
— E por que essa proposta?
— Porque eu a amo, ora essa!
— Não. Porque o senhor está apaixonado por Marguerite e quer vingar-se dela tornando-se meu amante. Ninguém engana uma mulher como eu, meu caro amigo. Infelizmente sou ainda muito jovem e muito bela para aceitar o papel que o senhor me propõe.
— Então recusa?
— Sim.
— Prefere amar-me por nada? Nesse caso sou eu que não aceito. Reflita, minha cara Olympe: se eu tivesse mandado qualquer pessoa entregar-lhe esses trezentos luíses em meu nome e nas condições que apresentei, a senhora teria concordado. Preferi tratar diretamente com a senhora. Aceite, sem se preocupar com os motivos que me levam a isso. Pense que é bonita e que nada há de extraordinário em que eu me apaixone pela senhora.

Marguerite era uma cortesã como Olympe e no entanto eu jamais ousaria dizer-lhe o que acabava de dizer a essa mulher. É que eu amava Marguerite; é que eu adivinhara nela os instintos que faltavam a esta outra, e que no momento em que lhe fazia a proposta, apesar de toda a sua beleza, esta com quem eu negociava me desagradava.

Acabou aceitando, é claro, e ao meio-dia saí do seu apartamento como seu novo amante. Mas deixei o leito sem a lembrança das carícias e das palavras que ela se julgou obrigada a me prodigalizar pelos seis mil francos que eu lhe deixei.

E no entanto havia quem se arruinasse por aquela mulher.

A partir desse dia fiz a Marguerite uma perseguição incessante. Olympe e ela deixaram de ver-se; o senhor compreende logo por quê. Dei à minha nova amante uma carruagem, joias, joguei, fiz enfim todas as loucuras próprias de um homem apaixonado por uma mulher como Olympe. A notícia de minha nova paixão logo se espalhou.

Até Prudence se deixou enganar e acabou acreditando que eu esquecera Marguerite completamente. Esta, seja por adivinhar o motivo de minhas ações, seja porque se enganasse como os outros, respondia com grande decência aos golpes que eu lhe dava todos os dias. Apenas parecia sofrer, porque, por toda a parte onde a encontrasse, via-a sempre cada vez mais pálida, cada vez mais triste. Meu amor por ela, exaltado a tal ponto que eu julgava ter-se transformado em ódio, rejubilava-se à vista diária dessa dor. Várias vezes, em situações em que fui de uma crueldade infame, Marguerite enviou-me olhares tão suplicantes que me envergonhei do papel que assumira e estive quase a lhe pedir perdão.

Mas esses arrependimentos tinham a rapidez do relâmpago e Olympe, que acabara deixando de lado qualquer espécie de amor-próprio, compreendendo que ao fazer mal a Marguerite conseguia de mim tudo o que quisesse, incitava-me sem cessar contra ela e a insultava toda vez que lhe surgia uma ocasião, com aquela covardia persistente da mulher autorizada pelo homem.

Marguerite terminara não indo mais aos bailes nem aos teatros com receio de nos encontrar, a mim e a Olympe. Então, as cartas anônimas seguiram-se às importunações diretas e não houve coisas vergonhosas que eu não mandasse minha amante contar, ou que eu mesmo não contasse a respeito de Marguerite.

Era preciso estar louco para chegar a esse ponto. Eu estava como um homem que, embriagado com vinho ordinário, cai numa dessas exaltações nervosas em que a mão é capaz de um crime sem que o cérebro possa fazer qualquer coisa. Em meio a tudo isso, eu sofria o meu martírio. A calma sem desdém, a dignidade sem desprezo com que Marguerite respondia sempre aos meus ataques e que a meus próprios olhos a apresentavam superior a mim, irritavam-me ainda mais contra ela.

Uma noite, Olympe fora não sei aonde e encontrara Marguerite que, desta vez, não perdoara à tola mulher que a insultava, a tal ponto que esta se vira obrigada a retirar-se. Olympe chegara em casa furiosa e Marguerite fora carregada sem sentidos.

Ao voltar, Olympe contara-me o acontecido, dizendo que Marguerite, ao vê-la, só quisera vingar-se do fato de ela ser minha amante e que era necessário escrever-lhe, dizendo que respeitasse, mesmo na minha ausência, a mulher que eu amava.

Não preciso dizer que concordei e que tudo o que pude encontrar de amargo, vergonhoso e cruel, incluí nessa carta, enviada ao seu endereço naquele mesmo dia.

Dessa vez o golpe era forte demais para que a infeliz o suportasse em silêncio.

Eu não tinha dúvidas de que iria receber uma resposta e resolvera não sair de casa naquele dia.

Perto de duas horas da tarde, tocaram a campainha e vi entrar Prudence.

Tentei assumir um ar de indiferença para lhe perguntar a que devia sua visita, mas nesse dia a sra. Duvernoy não estava sorridente. Com uma voz muito emocionada me disse que desde a minha volta, isto é, havia três semanas, eu não deixara escapar uma ocasião de magoar Marguerite. Que ela estava doente por causa disso e que a cena da véspera e minha carta pela manhã a tinham forçado a ficar de cama.

Em suma, sem me censurar, Marguerite mandava pedir-me piedade, dizendo que não tinha mais forças morais ou físicas para suportar o que eu lhe fazia.

— Que a srta. Gautier — respondi a Prudence — me afaste de sua casa, é um direito seu. Mas que ela insulte a mulher que amo sob o pretexto de que essa mulher é minha amante, isso jamais permitirei.

— Meu amigo — disse Prudence —, o senhor sofre a influência de uma moça sem coração nem inteligência. O senhor está apaixonado por ela, é verdade, mas isso não é motivo para torturar uma mulher que não pode defender-se.

— Que a srta. Gautier me envie o seu conde de N. e a partida será igual.

— O senhor sabe muito bem que ela não faria isso. Portanto, meu bom Armand, deixe-a em paz. Se o senhor a visse ficaria envergonhado do modo como a trata. Ela está pálida, tosse, não irá muito longe agora.

E Prudence estendeu-me a mão, completando:

— Venha vê-la; sua visita a deixará muito feliz.

— Não tenho vontade de encontrar o conde de N.

— O conde de N. nunca está em sua casa. Ela não o suporta.

— Se Marguerite quer ver-me, sabe onde moro. Que venha, mas eu jamais porei os pés na rua Antin.

— E o senhor a receberá bem?

— Perfeitamente.

— Pois bem, estou certa de que ela virá.

— Que venha.

— O senhor vai sair hoje?

— Estarei em casa a noite toda.

— Vou dizer-lhe.

Prudence partiu.

Nem escrevi a Olympe dizendo que não iria vê-la. Não tinha cerimônias com essa mulher. Passava uma noite por semana com ela, se tanto. Creio que ela se consolava com um ator de não sei qual teatro da avenida.

Saí para jantar e voltei quase imediatamente. Fiz acender o fogo em todas as lareiras e mandei Joseph sair.

Não poderia descrever as diversas impressões que me agitaram durante uma hora de espera. Mas, quando perto das nove ouvi tocarem a campainha, elas se resumiram em uma tal emoção que ao ir abrir a porta fui forçado a me apoiar à parede para não cair.

Felizmente o vestíbulo estava na penumbra e a alteração da minha fisionomia era pouco perceptível.

Marguerite entrou.

Estava toda de preto e de véu. Quase não reconheci o seu rosto sob as rendas.

Ela entrou no salão e levantou o véu.

Estava pálida como o mármore.

— Eis-me aqui, Armand — disse. — Você quis ver-me, eu vim.

E deixando tombar a cabeça entre as mãos, caiu em pranto.

Aproximei-me dela.

— Que tem você? — perguntei com a voz alterada.

Ela me apertou a mão sem nada dizer, pois as lágrimas embargavam-lhe a voz ainda. Mas, após alguns instantes, retomando um pouco de calma, ela me disse:

— Você me fez tanto mal, Armand, e eu nada lhe fiz.

— Nada? — repliquei com um sorriso amargo.

— Nada que as circunstâncias não me tivessem forçado a fazer.

Não sei se em sua vida o senhor já provou ou se um dia provará o que senti à vista de Marguerite.

A última vez em que viera à minha casa, sentara-se no lugar que acabava de ocupar. Só que, depois daquela vez, se tornara amante de outro. Outros beijos que não os meus lhe haviam tocado os lábios, para os quais, contra a vontade, os meus se sentiam atraídos. E no entanto eu sentia que amava essa mulher tanto ou talvez mais do que jamais a amara.

Não obstante, era-me difícil levar a conversa para o assunto que a trazia. Marguerite sem dúvida compreendeu isso, pois recomeçou:

— Venho incomodá-lo, Armand, porque tenho duas coisas a lhe pedir: perdão pelo que disse ontem à srta. Olympe e piedade pelo que você talvez esteja pronto a me fazer ainda. Voluntariamente ou não, desde que voltou, você me fez tanto mal que seria agora incapaz de suportar a quarta parte daquilo que suportei até hoje de manhã. Você terá piedade de mim, não? E compreenderá que existem para um homem de sentimento outras coisas mais nobres a fazer do que vingar-se de uma mulher doente e triste como eu. Olhe, pegue na minha mão. Estou com febre, deixei o leito para vir rogar de você, não sua amizade, mas sua indiferença.

Peguei a mão de Marguerite. Realmente, estava febril e a pobre moça tremia sob o capote de veludo.

Empurrei para perto do fogo a cadeira em que estava sentada.

— Acha então que não sofri — continuei — naquela noite em que, depois de ter esperado por você, no campo, vim procurá-la em Paris, onde não achei mais do que uma carta que quase me pôs louco? Como foi que você pôde enganar-me, Marguerite, a mim que a amava tanto?

— Não falemos disso, Armand, não vim aqui para discutir esse assunto. Queria vê-lo sem ser como um inimigo, eis tudo, e queria apertar-lhe a mão mais uma vez. Você tem uma amante nova, bonita e, pelo que dizem, ama-a. Seja feliz com ela e esqueça-me.

— E você, sem dúvida é feliz?

— Será que tenho a expressão de uma mulher feliz, Armand? Não zombe da minha dor, você que melhor que ninguém conhece suas causas e sua extensão.

— Não dependia senão de você, jamais ser infeliz, se realmente o é, como diz.

— Não, meu amigo, as circunstâncias foram mais fortes do que minha vontade. Obedeci, não a meus instintos de mulher, como você parece querer dizer, mas a uma necessidade séria e a razões que um dia você conhecerá e que farão com que me perdoe.

— Por que não me revela essas razões hoje?

— Porque elas não conseguiriam uma aproximação, impossível, entre nós e iriam afastar você de pessoas de quem não deve afastar-se.

— Quem são essas pessoas?

— Não posso dizer.

— Então você está mentindo.

Marguerite levantou-se e dirigiu-se para a porta.

Eu não podia ver essa dor muda e expressiva sem me emocionar, quando comparava, intimamente, essa mulher pálida e em pranto com aquela leviana que zombara de mim na Ópera Cômica.

— Você não vai sair — disse eu, colocando-me diante da porta.

— Por quê?

— Porque apesar do que você me fez eu ainda a amo e quero ficar com você aqui.

— Para me expulsar amanhã, não é? Não, é impossível! Nossos destinos estão separados, não tentemos reuni-los. Você talvez viesse a desprezar-me, enquanto que agora só pode odiar-me.

— Não, Marguerite — exclamei, sentindo todo o meu amor e todos os meus desejos renovarem-se ao contato daquela mulher. — Não, eu esquecerei tudo e seremos felizes como havíamos prometido que seríamos.

Marguerite balançou a cabeça em sinal de dúvida e disse:

— Acaso não sou eu a sua escrava, o seu cãozinho? Faça de mim o que quiser, leve-me, que sou sua.

Tirando o casaco e o chapéu, jogou-os sobre o canapé e começou a desabotoar rapidamente o corpete do vestido pois, por uma dessas reações tão frequentes de sua moléstia, o sangue subia-lhe à cabeça e a sufocava.

Uma tosse seca e rouca se seguiu.

— Mande dizer ao meu cocheiro — disse ela — que leve o carro.

Fui eu mesmo despedir o homem.

Quando voltei, Marguerite estava estendida em frente ao fogo e seus dentes batiam de frio.

Tomei-a em meus braços, tirei-lhe as roupas sem que ela fizesse um movimento e levei-a, toda gelada, para o meu leito.

Então sentei-me a seu lado e procurei esquentá-la com carícias. Ela nada dizia, mas sorria.

Oh, foi uma noite estranha! Toda a vida de Marguerite parecia passar nos beijos com que ela me cobria, e eu a amei tanto que em meio aos transportes do meu amor febril eu me perguntava se não iria matá-la para que jamais pertencesse a outro.

Um mês de amor como aquele, tanto de corpo como de coração, e não seríamos mais do que cadáveres.

O dia encontrou-nos ambos acordados.

Marguerite estava lívida. Não dizia palavra. Grandes lágrimas corriam de vez em quando dos seus olhos e paravam na face, brilhando como diamantes. Os braços cansados abriam-se por instantes para me apertar e tornavam a cair sem forças sobre o leito.

Por um momento, pensei que pudesse esquecer o que se passara depois da partida de Bougival e propus a Marguerite:

— Você quer que partamos, que deixemos Paris?

— Não, não! — disse ela quase com medo. — Seríamos infelizes demais. Não posso mais trazer-lhe felicidade, mas enquanto me restar um sopro de vida, serei escrava dos seus caprichos. A qualquer hora do dia ou da noite que você me queira, procure-me e serei sua. Mas não queira associar seu futuro ao meu. Você seria muito infeliz e me faria infeliz demais. Serei, por mais algum tempo ainda, uma mulher bonita. Aproveite, mas não me peça mais do que isso.

Quando ela saiu, fiquei espantado com a solidão em que me deixou. Duas horas após sua partida eu ainda estava sentado sobre o leito que ela acabava de deixar, observando o travesseiro que ainda tinha as marcas da sua forma e perguntando-me o que seria de mim, entre o amor e o ciúme.

Às cinco horas, sem saber o que ia fazer lá, fui à rua Antin.

Foi Nanine quem abriu a porta.

— A senhora não pode receber — disse ela, embaraçada.

— Por quê?

— Porque o sr. conde de N. está aí e ele recomendou que não permitisse a entrada de pessoa alguma.

— Está bem — balbuciei —, estava esquecido.

Voltei para casa como um homem embriagado, e o senhor sabe o que fiz durante o minuto de ciúme delirante, suficiente para a ação vergonhosa que ia cometer? Sabe o que fiz? Achei que aquela mulher zombava de mim, imaginei-a na sua inviolável intimidade com o conde, repetindo as mesmas palavras que me dissera à noite e então, tomando de uma nota de quinhentos francos, mandei-a com as seguintes palavras:

> *A senhora partiu tão rapidamente esta manhã que esqueci de lhe pagar.*
> *Eis o preço da sua noite.*

Depois, quando a carta já fora, saí como que para me subtrair ao remorso instantâneo daquela infâmia.

Fui à casa de Olympe, a quem encontrei provando vestidos e que, logo que ficamos a sós, passou a cantar-me obscenidades para me distrair.

Aquela era bem o tipo da cortesã sem pudor, sem coração e sem espírito, pelo menos para mim, pois talvez um homem fizesse dela o sonho que fiz de Marguerite.

Ela me pediu dinheiro, dei-lho e então livre, para me retirar, voltei para casa.

Marguerite não respondera.

É inútil descrever em que agitação passei o dia seguinte.

Às seis e meia um portador trouxe-me um envelope que continha meu bilhete e a nota de quinhentos francos, mais nada.

— Quem lhe entregou isso? — perguntei.

— Uma senhora que partia com a criada na diligência de Bolonha e que me recomendou que não fizesse a entrega enquanto a viatura não partisse.

Corri à casa de Marguerite.

— A senhora partiu para a Inglaterra, hoje às seis horas — respondeu o porteiro.

Nada mais me prendia a Paris, nem ódio nem amor. Eu estava exausto por todos esses abalos. Um de meus amigos ia fazer uma viagem ao Oriente. Fui a meu pai e disse-lhe que tinha desejo de acompanhá-lo. Meu pai me deu letras de câmbio, recomendações e oito ou dez dias depois eu embarcava em Marselha.

Foi em Alexandria que eu soube por um adido à Embaixada, que certa vez eu vira em casa de Marguerite, da doença da pobre moça.

Escrevi-lhe nessa ocasião a carta a que deu a resposta que o senhor conhece e que recebi em Toulon.

Parti em seguida e o resto o senhor sabe.

Agora, nada lhe falta mais senão ler as poucas folhas que Julie Duprat me enviou e que são o complemento indispensável do que acabo de contar.

Capítulo XXV

Armand, fatigado dessa longa narração, frequentemente interrompida pelas lágrimas, pousou as duas mãos nas têmporas e fechou os olhos, seja para pensar, seja para tentar dormir, após me haver dado as páginas escritas pela mão de Marguerite.

Alguns instantes depois a respiração um pouco menos apressada provava que ele dormia, mas com esse sono leve que o menor ruído espanta.

Eis o que li e que transcrevo, sem acrescentar ou retirar uma sílaba sequer:

* * *

Estamos hoje a quinze de dezembro. Venho passando mal há três ou quatro dias. Hoje de manhã fiquei presa ao leito; o tempo está sombrio e eu, triste. Não há ninguém a meu lado, penso em você, Armand. E você, onde está nesta hora em que escrevo estas linhas? Longe de Paris, bem longe, me disseram, e talvez você já tenha esquecido Marguerite. Enfim, seja feliz, você a quem devo os únicos momentos de alegria de minha vida.

Não pude resistir ao desejo de dar explicações de minha conduta e lhe escrevi uma carta. Mas, escrita por uma mulher como eu, semelhante carta pode ser considerada uma mentira, a menos que a morte a santifique com a sua influência e que, em lugar de ser uma carta, ela seja uma confissão.

Hoje estou doente. Posso morrer dessa doença, pois tive sempre o pressentimento de que morreria jovem. Minha mãe morreu do peito e a vida que levei, até hoje, não pôde senão piorar essa fraqueza, a única herança que ela me deixou. Mas não quero morrer sem que você saiba bem o que deve pensar a meu respeito se, ao voltar, você ainda se preocupar com a pobre mulher a quem amava antes de se ir.

Eis o que havia na carta, que tenho prazer em reescrever, para me proporcionar uma nova prova da minha justificação:

> *Você se lembra, Armand, de como a chegada do seu pai nos surpreendeu em Bougival; lembra-se do terror involuntário que essa chegada me causou, da cena que houve entre você e ele e que você me contou à noite.*
>
> *No dia seguinte, enquanto você estava em Paris, esperando seu pai, que não apareceu, um homem se apresentou em minha casa e me entregou uma carta do sr. Duval.*
>
> *Essa carta, que junto a esta, pedia-me, nos termos mais severos, que afastasse você no dia seguinte, sob um pretexto qualquer, e recebesse seu pai. Ele queria falar-me e recomendava-me, sobretudo, que nada dissesse a você a respeito desse seu pedido.*
>
> *Você sabe com que insistência lhe aconselhei, na volta, que tornasse a ir a Paris no dia seguinte.*
>
> *Você tinha saído havia uma hora quando seu pai apareceu. Perdoo-lhe a impressão que me causou sua fisionomia severa. Ele estava imbuído das velhas teorias que querem que uma cortesã seja um ser sem coração, sem raciocínio; uma espécie de máquina de fazer dinheiro, sempre pronta, como as máquinas de ferro, a esmagar a*

mão que lhe estende alguma coisa, e a dilacerar sem piedade, sem discernimento aquilo que a faz viver e agir.

Seu pai me escrevera uma carta muito polida, pedindo-me que consentisse em recebê-lo. Não se apresentou em absoluto como escreveu. Havia muito orgulho, despropósito e mesmo ameaças em suas primeiras palavras, o que me obrigou a fazê-lo compreender que estava em minha casa e que não tinha que lhe dar contas de minha vida, senão pela sincera afeição que sentia pelo seu filho.

O sr. Duval acalmou-se um pouco e começou então a dizer que não podia permitir por mais tempo que seu filho se arruinasse por minha causa. Que eu realmente era bela, mas que, por mais bela que fosse, não devia servir-me da beleza para estragar o futuro de um rapaz com despesas como as que eu fazia.

Para isso não havia senão uma resposta, não é? Era apresentar-lhe as provas de que, depois que me tornara sua amante, nenhum sacrifício deixara de fazer a fim de lhe permanecer fiel sem pedir mais dinheiro do que você podia dar. Mostrei as cautelas da casa de penhores, os recibos de pessoas a quem eu vendera os objetos que não pudera empenhar; disse a seu pai da minha resolução de me desfazer do mobiliário para pagar as dívidas e para viver com você sem me tornar uma carga pesada demais. Falei-lhe da nossa felicidade, da revelação que você me fizera de uma vida mais tranquila e mais feliz e ele acabou rendendo-se à evidência, tomando-me a mão e pedindo perdão pela maneira como agira até aquele momento.

Depois disse:

— *Então, senhora, não será mais com queixas nem com ameaças, mas com rogos que tentarei obter da senhora um sacrifício maior do que todos os que já fez pelo meu filho.*

Tremi ante esse começo.

Seu pai aproximou-se de mim, tomou-me as mãos e continuou em tom afetuoso:

— *Minha filha, não leve a mal o que lhe vou dizer. Compreenda, somente, que a vida tem às vezes necessidades cruéis para o coração, mas às quais é preciso submeter-se. A senhora é boa e sua alma possui generosidades desconhecidas a muitas mulheres que talvez a desprezem e que não têm o seu valor. Mas pense que além da amante há família, que além do amor há o dever; à idade das paixões sucede a idade em que o homem, para ser respeitado, precisa estar solidamente apoiado a uma posição séria. Meu filho não tem fortuna e no entanto está prestes a lhe dar a herança da mãe. Se ele aceitasse da senhora o sacrifício que está a ponto de fazer, caberia à sua dignidade fazer em troca essa doação que a deixaria para sempre ao abrigo de uma adversidade completa. Mas esse sacrifício ele não o pode aceitar porque o mundo, que não a conhece, daria a esse consentimento um motivo desleal, que não deve atingir o nome que é dele e meu. Ninguém iria querer saber se Armand a ama, se a senhora o ama, se esse amor recíproco é uma felicidade para ele e uma reabilitação para a senhora. Não veriam mais do que uma coisa: Armand Duval permitiu que uma cortesã (desculpe-me, minha filha, pelo que sou forçado a dizer) vendesse por causa dele tudo o que ela possuía. Depois viria o dia das recriminações e dos remorsos, esteja certa disso, para ambos, assim como chega para todos os outros, e estariam os dois presos por uma corrente que não poderiam romper. Que haveriam de fazer, então? Sua mocidade estaria perdida e o futuro do meu filho destruído. E eu, seu pai, não teria senão de um dos meus filhos a recompensa que espero dos dois. A senhora é jovem, é bela, a vida há de consolá-la. É nobre e a lembrança de uma boa ação compensará muitas coisas passadas. Desde que a conheceu, faz seis meses, Armand me esquece. Eu poderia ter morrido sem que ele o soubesse! Qualquer que seja a sua resolução de levar uma vida diferente da que viveu até hoje, Armand, que a ama, não consentiria na vida reclusa a que sua modesta situação condenaria a senhora e que não é digna da sua beleza. Quem sabe o que faria então? Andou jogando, eu já soube. Sem nada lhe dizer, disso também sei. Mas, num momento de embriaguez, ele poderia ter perdido uma parte daquilo que venho juntando há muitos anos para o dote de minha filha, para ele e para a tranquilidade dos meus dias de velhice. O que teria podido acontecer pode ainda se dar.*

"*A senhora tem certeza de que a vida que abandonaria por ele não a iria atrair novamente? Tem certeza, a senhora que se apaixonou por ele, de jamais se apaixonar por outro? Não irá a senhora, enfim, sofrer com as dificuldades que a mancebia de ambos imporá à vida do seu amante, e que a senhora talvez não possa consolar se, com a idade, os sonhos da ambição sucederem aos sonhos de amor? Pense bem em tudo isso, senhora. Se ama Armand, prove-o então pelo único meio que ainda lhe falta provar: fazendo, ao futuro dele, o sacrifício do seu amor. Nenhuma desgraça sucedeu ainda, mas há de suceder, e talvez maior do que previ. Armand pode ter ciúmes de um homem que tenha amado a senhora, pode provocá-lo, bater-se em duelo; pode ser morto, enfim, e pense no que a senhora sofreria ante este pai que lhe haveria de pedir satisfações pela vida do filho.*

"*Por fim, minha filha, fique sabendo de tudo, pois ainda não lhe disse tudo. Fique sabendo do que me trouxe a Paris. Tenho uma filha, como já lhe disse, jovem, bela e pura como um anjo. Ela ama e também ela fez desse amor o sonho de sua vida. Eu escrevi, contando tudo isso a Armand, mas ele, inteiramente ocupado com a senhora, não me respondeu. Pois bem, minha filha vai casar. Vai esposar o homem que ama, entrará numa família honrada que exige que tudo seja honroso na minha. A família do meu futuro genro soube de como Armand vivia em Paris e me ameaçou de desfazer o compromisso se Armand continuasse essa vida. O futuro dessa criança, que nada lhe fez e que tem o direito de contar com o futuro, está em suas mãos.*

"*A senhora tem o direito, sente-se com forças de destruí-lo? Em nome do seu amor e do seu arrependimento, Marguerite, conceda-me a felicidade de minha filha.*"

Eu chorava em silêncio, meu amigo, diante de todas essas coisas em que frequentemente eu pensara e que, pela boca de seu pai, adquiriam uma realidade ainda mais séria. Pensei em tudo o que seu pai não teve coragem de me dizer e que por várias vezes esteve a ponto de mencionar: que afinal de contas eu não era mais do que uma cortesã e que, qualquer que fosse o motivo que eu desse à nossa ligação, haveria sempre uma aparência de interesse; que o meu passado não me dava o direito de sonhar com um tal futuro e que eu estava aceitando responsabilidades a que meus hábitos e minha reputação não davam a menor garantia. Enfim, eu o amava, Armand. O tom paternal das palavras do sr. Duval, os sentimentos puros que evocava em mim a estima desse leal ancião que eu iria conquistar, a de você que eu tinha certeza de possuir mais tarde, tudo isso fez surgir em meu coração sentimentos nobres que me elevavam a meus próprios olhos e traziam à tona vaidades sagradas que até então eu não conhecera. Quando pensei que um dia esse ancião, que me implorava o futuro do filho, diria à filha que incluísse meu nome em suas preces, como o nome de uma amiga misteriosa, eu me transformei, tive orgulho de mim mesma.

A exaltação do momento exagerou, talvez, a veracidade dessas impressões. Mas foi o que senti, amigo, e esses novos sentimentos fizeram calar os conselhos que me dava a lembrança dos dias felizes que passara com você.

— *Pois bem, senhor* — *disse eu a seu pai, enxugando as lágrimas.* — *Acredita que amo o seu filho?*

— *Acredito* — *respondeu o sr. Duval.*

— *Com um amor desinteressado?*

— *Sim.*

— *Acredita que fiz desse amor a esperança, o sonho e o perdão de minha vida?*

— *Firmemente.*

— *Pois, senhor, beije-me ainda uma vez como beijaria sua filha e lhe juro que esse beijo, o único realmente puro que já recebi, me dará forças contra o meu amor, e que antes de oito dias o seu filho estará a seu lado, talvez infeliz por algum tempo, mas curado para sempre.*

— *A senhora é uma nobre mulher* — *replicou seu pai, beijando-me a testa* — *e vai tentar uma coisa que Deus saberá avaliar. Mas creio que não conseguirá isso de meu filho.*

— *Oh, fique tranquilo, senhor. Ele irá odiar-me.*

Era preciso que houvesse entre nós uma barreira inexpugnável, tanto para um como para o outro.

Escrevi a Prudence, dizendo que aceitava as propostas do conde de N. e que ela lhe fosse avisar que eu iria cear com ambos.

Lacrei a carta e, sem dizer o que continha, pedi a seu pai que a fizesse chegar ao endereço, em Paris.

Ele perguntou, então, o que havia na carta.

— *A felicidade do seu filho* — *respondi.*

Seu pai beijou-me uma última vez. Senti na fronte duas lágrimas de gratidão, que foram como o batismo de minhas faltas de outrora e, no momento em que eu havia decidido entregar-me a outro homem, enchia-me de orgulho ao pensar no que conseguiria com essa nova culpa.

Era muito natural, Armand, você me havia dito que seu pai era o homem mais honesto do mundo.

O sr. Duval tomou seu carro e foi-se embora.

No entanto eu sou uma mulher e quando vi você outra vez, não pude deixar de chorar, mas não fraquejei.

Será que agi bem? É o que me pergunto hoje, ao cair doente num leito de onde talvez só saia morta.

Você é testemunha do que eu sentia, à medida que se aproximava a hora da nossa inevitável separação. Seu pai não estava lá para me sustentar, e houve um momento em que estive a ponto de contar-lhe tudo, tão apavorada estava com a ideia de que você me iria odiar e desprezar-me.

Uma coisa em que talvez você não acredite, Armand, é que pedi a Deus que me desse forças e o que prova que ele aceitou o sacrifício é que me deu as forças que eu implorava.

Na ceia precisei outra vez de ajuda, pois não queria saber o que ia fazer, tanto eu temia que me faltasse a coragem!

Quem me haveria dito, a mim, Marguerite Gautier, que eu sofreria tanto só em pensar em um novo amante?

Bebi para esquecer e quando acordei no dia seguinte estava no leito do conde.

Eis aí toda a verdade, amigo, julgue-me e perdoe-me como lhe perdoei todo o mal que você me fez depois desse dia.

Capítulo XXVI

O que se seguiu a essa noite fatal você conhece tão bem quanto eu, mas o que você não sabe, nem pode imaginar, é o que sofri depois da nossa separação.

Eu soubera que seu pai levara você consigo, mas duvidava que você pudesse viver muito tempo longe de mim e no dia em que encontrei você nos Campos Elísios fiquei emocionada, mas não surpresa.

Então, começou aquela série de dias, cada um deles trazendo um novo insulto seu, insulto que eu recebia com alegria, quase, porque não era senão a prova de que você ainda me amava, e me parecia que quanto mais você me perseguisse mais eu me elevaria ante seus olhos quando você soubesse da verdade.

Não se espante com esse alegre martírio, Armand; o amor que você sentira por mim me havia aberto o coração aos entusiasmos nobres.

Apesar disso, não fui tão forte assim, no começo.

Entre o sacrifício que eu fizera a você e a sua volta, passou-se um tempo bastante longo, durante o qual tive necessidade de recorrer aos meios físicos para não enlouquecer e para me aturdir, naquela vida à qual retornara. Prudence contou a você, não foi?, que eu estava em todas as festas, em todos os bailes, em todas as orgias?

Tinha como que a esperança de me acabar rapidamente, à custa de excessos, e acho que essa esperança não tarda a se realizar. Minha saúde sofria cada vez mais, em consequência, e no dia em que enviei a sra. Duvernoy à sua casa, eu estava completamente exausta de corpo e alma.

Não vou lembrar-lhe, Armand, de que maneira você agradeceu a última prova de amor que lhe dei, e com que ultraje você expulsou de Paris a mulher que, quase morrendo, não lhe pôde resistir quando você lhe pediu uma noite de amor e que, como uma insensata, julgou por um instante poder ligar novamente o passado ao presente. Você tinha o direito de fazer o que fez, Armand! Nem sempre me pagaram tão bem as minhas noites!

Agora deixei tudo! Olympe substituiu-me junto do conde de N. e se encarregou, ao que eu soube, de explicar-lhe o motivo de minha partida. O conde de G. estava em Londres. É um desses homens que, dando ao amor das mulheres como eu apenas a importância necessária para que se torne um agradável passatempo, ficam amigos daquelas que possuíram e não sentem ódio, jamais tendo sentido ciúme. É, afinal, um desses grandes fidalgos que nos abrem apenas parte do coração, mas toda a carteira. Foi nele que logo pensei. Fui procurá-lo. Recebeu-me maravilhosamente, mas era lá o amante de uma mulher da sociedade e temia comprometer-se a meu lado. Apresentou-me aos amigos, que me ofereceram uma ceia, ao fim da qual um deles me carregou consigo.

Que queria que eu fizesse, meu amigo?

Matar-me? Seria dificultar a sua vida, que deveria ser feliz, com um remorso inútil. Depois, por que matar-se quando se está prestes a morrer?

Fiquei no estado de corpo sem alma, de coisa sem raciocínio. Vivi durante algum tempo naquela vida autômata, depois voltei a Paris e perguntei por você. Soube então que você partira para uma longa viagem. Nada mais me importava. Minha existência voltou a ser a de dois anos antes de conhecer você. Tentei aproximar-me outra vez do duque, mas eu o havia ferido rudemente, e os velhos não são pacientes, sem dúvida porque percebem que não são eternos. A moléstia enfraquecia-me de dia para dia, eu estava pálida, eu estava triste, eu estava ainda mais magra. Os homens que compram o amor examinam a mercadoria antes de levá-la. Havia em Paris mulheres mais saudáveis, mais gordas do que eu. Esqueceram-me um pouco. Eis o meu passado até ontem.

Agora estou realmente doente. Escrevi ao duque pedindo dinheiro, pois nada mais tenho e os credores voltaram trazendo suas contas com uma insistência impiedosa. Será que o duque vai responder-me? E você não está em Paris, Armand! Você viria ver-me e suas visitas me consolariam!

20 DE DEZEMBRO

Faz um tempo horroroso, neva, e estou só em casa. De três dias para cá tive tanta febre que nada lhe pude escrever. Nada de novo, meu amigo. A cada dia espero vagamente uma carta sua, que não chega e sem dúvida jamais chegará. Somente os homens têm forças para não perdoar. O duque não respondeu.

Prudence recomeçou suas viagens à loja de penhores.

Não paro de escarrar sangue. Oh, você teria dó de mim se me visse! Você é bem feliz de estar sob um céu morno e não ter, como eu, um inverno de gelo pesando sobre o peito. Hoje me levantei um pouco e, por trás das cortinas da janela, vi passar a vida de Paris com a qual estou certa de ter rompido. Algumas fisionomias conhecidas passaram rapidamente pela rua, alegres, descuidadas. Nem um só levantou o olhar para minha janela. No entanto alguns rapazes vieram deixar os cartões. Já estive uma vez doente e você, que não me conhecia, que nada obtivera de mim senão uma desatenção no dia em que o vira pela primeira vez, você vinha pedir notícias minhas todas as manhãs. Estou outra vez doente. Nós passamos seis meses juntos. Tive por você tanto amor quanto o coração de uma mulher pode conter e dar, e você está longe e você me maldiz e não me vem uma única palavra de consolo de você. Mas é apenas o acaso que provoca esse abandono, tenho certeza, pois se você estivesse em Paris não se afastaria da minha cabeceira nem do meu quarto.

25 DE DEZEMBRO

O médico proibiu-me de escrever diariamente. Com efeito, minhas recordações não fazem senão aumentar a febre; mas ontem recebi uma carta que me fez bem, mais pelos sentimentos que expressava do que pela ajuda material que trazia. Posso então lhe escrever hoje. A carta era do seu pai e aqui está o que dizia:

    Senhora,
    Soube neste momento que está doente. Se eu estivesse em Paris, iria pessoalmente saber de notícias suas. Se meu filho estivesse a meu lado, dir-lhe-ia que fosse visitá-la; mas não posso deixar C. e meu filho está a seiscentas ou setecentas léguas daqui. Permita-me, pois, dizer--lhe simplesmente, senhora, como estou penalizado com essa doença e creia nos votos sinceros que faço pelo seu pronto restabelecimento.
    Um dos meus bons amigos, o sr. H., se apresentará em sua casa. Receba-o por favor. Está encarregado por mim de uma incumbência, cujo resultado espero com impaciência. Queira aceitar, senhora, os meus mais elevados sentimentos.

    Foi essa a carta que recebi. Seu pai tem um nobre coração. Ame-o, meu amigo, pois há poucos homens no mundo tão dignos de serem amados. Esse papel com a sua assinatura me fez mais bem do que todas as prescrições do nosso grande médico.
    Hoje de manhã veio o sr. H. Parecia muito embaraçado pela missão delicada de que o sr. Duval o encarregara. Vinha simplesmente

trazer-me mil escudos da parte de seu pai. Quis recusar, mas o sr. H. disse que tal recusa ofenderia o sr. Duval, que o havia autorizado a me entregar imediatamente aquela soma e a proporcionar-me tudo o mais de que eu necessitasse. Aceitei esse auxílio que, da parte de seu pai, não pode ser uma esmola. Se quando você voltar eu estiver morta, mostre a seu pai o que acabo de escrever, pensando nele, e diga que ao traçar estas linhas, a pobre mulher a quem ele se dignou escrever essa carta de consolo derramava lágrimas de gratidão e pedia a Deus por ele.

4 DE JANEIRO

Venho de passar uma noite muito dolorosa. Ignorava que o corpo pudesse fazer sofrer desse modo. Oh, o meu passado! Hoje estou pagando duplamente por ele.

Velaram-me todas as noites. Não podia respirar. O delírio e a tosse dividiram o restante da minha pobre existência.

Minha sala de jantar está cheia de bombons e de presentes de todos os tipos que meus amigos me trouxeram. Há, sem dúvida, entre esses os que esperam que eu ainda seja sua amante, mais tarde. Se vissem o que a moléstia fez de mim fugiriam espavoridos.

Prudence entretém aqueles que mando entrar.

A temperatura está gelada e o médico disse que poderei sair dentro de alguns dias se o bom tempo continuar.

8 DE JANEIRO

Saí ontem de carro. O tempo estava magnífico. Os Campos Elísios, cheios de gente. Dir-se-ia que foi o primeiro sorriso da primavera. Tudo, em volta de mim, tinha um ar festivo. Eu jamais pensara que pudesse haver em um raio de sol tudo o que encontrei ontem de doçura e de consolo.

Encontrei quase todos os conhecidos, sempre alegres, sempre preocupados com os seus prazeres. Não sabem como são felizes! Olympe passou em uma elegante carruagem que ganhou do conde de N. Tentou insultar-me com o olhar. Ela não sabe como estou longe de todas essas vaidades. Um rapaz que conheço há muito convidou-me para cear com ele e mais um amigo, que deseja ardentemente, disse ele, conhecer-me.

Sorri tristemente e estendi-lhe a mão que ardia de febre.

Nunca vi tamanho ar de espanto.

Voltei às quatro horas e jantei com bastante apetite.

Essa saída me fez bem.

Se eu ficasse boa!

Como o aspecto da vida e da felicidade alheia faz com que desejem a vida aqueles que ontem, na solidão da alma e na escuridão do seu quarto de doentes, pediam a morte breve!

10 DE JANEIRO

Essa esperança de cura não era mais que um sonho. Eis-me de novo na cama, com o corpo coberto de emplastros que me queimam. Vai agora ofertar este corpo pelo qual pagavam tão caro outrora e vê o que te darão por ele hoje!

É preciso que tenhamos feito muito mal antes de nascer ou que devamos gozar uma grande felicidade após a morte para que Deus permita que nesta vida existam todas as torturas da expiação e todas as dores da experiência.

12 DE JANEIRO

Continuo sofrendo.

O conde de N. mandou-me dinheiro ontem. Não aceitei. Nada quero daquele homem. É ele a causa de você não estar mais a meu lado.

Oh, nossos belos dias de Bougival, onde estais?

Se eu sair deste quarto, será para uma peregrinação à casa onde moramos juntos, mas não sairei mais senão morta.

Quem sabe se não escreverei amanhã a você?

25 DE JANEIRO

Há onze noites que não durmo, que sufoco e acredito morrer a cada instante. O médico mandou que não me deixassem tocar na pena. Julie Duprat, que cuida de mim, permite-me ainda escrever algumas linhas a você. Será que você não volta antes que eu morra? Estará tudo acabado eternamente entre nós? Acho que se você voltasse eu ficaria boa. Para que me curar?

28 DE JANEIRO

Hoje de manhã acordei com um grande barulho. Julie, que dormia no meu quarto, precipitou-se para a sala de jantar. Ouvi vozes masculinas, contra as quais a dela se elevava em vão. Voltou em pranto.

Vinham executar o sequestro judicial. Disse-lhe que deixasse fazerem o que chamam de justiça. O meirinho entrou no meu quarto de chapéu na cabeça. Abriu as gavetas, tomou nota de tudo e não parecia aperceber-se de que havia uma moribunda no leito o qual, felizmente, a caridade da lei me deixa.

Consentiu em me informar, à saída, que eu poderia apelar dentro de nove dias, mas deixou um guarda! Que será de mim, meu Deus? Essa cena fez-me piorar. Prudence queria pedir dinheiro ao amigo do seu pai, mas recusei.

Recebi sua carta hoje pela manhã. Sentia necessidade dela. Minha resposta chegará a tempo às suas mãos? Será que você ainda me verá? Eis um dia feliz, que me faz esquecer todos os que venho passando há dez semanas. Parece que estou melhor, apesar do sentimento de tristeza sob cuja influência respondi a você.

Afinal de contas, não se deve ser sempre infeliz.

Quando penso que pode ser que eu não morra, que você volte, que eu reveja a primavera, que você me ame outra vez e que recomecemos a vida a partir do ano passado!

Louca que eu sou! A custo consigo manter a pena com que escrevo esse sonho insensato de meu coração.

Haja o que houver, eu amava você muito, Armand, e estaria morta há muito tempo se eu não tivesse a lembrança desse amor para me sustentar e como que uma vaga esperança de ver você ainda a meu lado.

4 DE FEVEREIRO

O conde de G. voltou. A amante enganou-o. Está muito triste, gostava muito dela. Veio contar-me tudo isso. O pobre rapaz está muito mal de finanças, o que não o impediu de pagar meu meirinho e mandar o guarda embora.

Falei-lhe de você e ele me prometeu que conversaria com você a meu respeito. Como nesses momentos eu esquecia de que fora amante dele e como ele se esforçava, também, para que eu o esquecesse! Tem um bom coração.

O duque mandou saber notícias minhas ontem e veio hoje pela manhã. Não sei o que ainda mantém vivo esse velho. Ficou três horas a meu lado e não pronunciou vinte palavras. Duas grandes lágrimas rolaram-lhe dos olhos ao me ver tão pálida. A lembrança da morte da filha fazia-o chorar, sem dúvida; ele vai vê-la morrer duas vezes.

Suas costas estão curvadas, a cabeça pende para a frente, o lábio está caído e o olhar se apaga. A idade e a dor pousam com seu peso dobrado sobre o corpo exausto. Não me fez uma censura. Dir-se-ia mesmo que intimamente ele se rejubilava com a devastação que a moléstia fez em mim. Parecia orgulhoso de estar de pé enquanto eu, ainda jovem, estou arrasada pela doença.

O mau tempo voltou. Ninguém me vem ver. Julie passa junto de mim todo o tempo que pode. Prudence, a quem não posso dar tanto dinheiro quanto antigamente, começa a pretextar negócios para se afastar.

Agora que estou prestes a morrer, apesar do que me dizem os médicos, pois tenho vários, o que prova que a doença progride, quase lamento ter dado ouvidos a seu pai. Se eu soubesse que não tomaria senão um ano do seu futuro, teria passado esse ano com você e pelo menos morreria segurando a mão de um amigo. É verdade que se tivéssemos passado esse ano juntos eu não morreria tão cedo.

Seja feita a vontade de Deus!

5 DE FEVEREIRO

Oh, venha, venha, Armand, estou sofrendo horrivelmente, vou morrer, meu Deus! Ontem eu estava tão triste que quis passar em outro lugar, que não fosse minha casa, a noite que na véspera me parecera tão longa. O duque veio esta manhã. Parece que a visita desse velho esquecido pela morte me faz morrer mais depressa.

Apesar da febre terrível que me queimava, fiz com que me vestissem e me levassem ao Vaudeville. Julie me pôs rouge, *sem o que eu pareceria um cadáver. Fui àquele camarote em que você me encontrou pela primeira vez. Todo o tempo fiquei com os olhos fixos na poltrona que você ocupou naquele dia e que ontem pertencia a um tipo rústico, que ria às gargalhadas com as tolices que os atores apresentavam. Trouxeram-me para casa semimorta. Tossi e escarrei sangue a noite inteira. Hoje não posso mais falar e a custo consigo movimentar os braços. Meu Deus, meu Deus, vou morrer! Já o esperava, mas não posso imaginar sofrer mais do que estou sofrendo, e se...*

A partir dessa palavra as poucas letras que Marguerite tentara escrever estavam ilegíveis e era Julie Duprat que continuava:

18 DE FEVEREIRO

Sr. Armand,
 Depois do dia em que Marguerite quis ir ao teatro, ela esteve sempre pior. Perdeu completamente a voz, depois o uso dos membros. O sofrimento de nossa pobre amiga é impossível de descrever. Não estou habituada a essas emoções e vivo continuamente aterrorizada.
 Como eu queria que o senhor estivesse conosco! Ela está quase todo o tempo em delírio, mas, delirante ou lúcida, é sempre o seu nome que ela pronuncia quando consegue dizer uma palavra.
 O médico avisou que ela não tem mais de vida muito tempo. Depois que ela piorou o velho duque não voltou mais.
 Ele disse ao médico que esse espetáculo lhe fazia muito mal.
 A sra. Duvernoy não tem agido bem. Essa mulher, que esperava arrancar mais dinheiro de Marguerite, à custa de quem vivia quase inteiramente, assumiu compromissos que não pode cumprir e ao ver que a vizinha de nada mais lhe serve, nem mesmo a visita mais. Todos a abandonam. O conde de G., cheio de dívidas, foi obrigado a voltar para Londres. Ao partir, mandou-nos algum dinheiro; fez o que pôde, mas voltaram a sequestrar tudo e os credores só estão esperando que ela morra para fazer o leilão.

Eu procurei utilizar os meus últimos recursos para impedir o sequestro, mas o meirinho disse que era inútil, que havia mais outras sentenças a executar. Já que ela vai morrer, é melhor abandonar tudo a salvar para a família que ela não quis ver e que jamais a amou. O senhor não pode imaginar em meio a que miséria dourada a pobre mulher está morrendo. Ontem não tínhamos dinheiro de espécie alguma. Cobertas, joias, mantas, tudo está empenhado. O resto ou foi vendido ou sequestrado. Marguerite ainda tem consciência do que se passa em torno e sofre no corpo, no espírito e no coração. Grandes lágrimas lhe correm pelas faces tão magras e pálidas que o senhor não reconheceria o rosto daquela a quem tanto amou, se a pudesse ver. Ela me fez prometer que eu haveria de lhe escrever quando ela não mais o pudesse, e estou escrevendo junto dela. Virou os olhos para mim, mas não vê mais; seu olhar está velado pela morte que se aproxima. Apesar disso ela sorri e todo o seu pensamento, toda a sua alma se dirigem ao senhor, estou certa disso.

Cada vez que a porta se abre, seus olhos se acendem e ela pensa sempre que é o senhor que vai entrar. Depois, quando vê que não é o senhor, a fisionomia retoma a expressão dolorosa, umedece-se de um suor frio e as maçãs do rosto se tornam rubras.

19 DE FEVEREIRO, MEIA-NOITE

Que triste dia foi o de hoje, meu pobre sr. Armand! Pela manhã Marguerite sufocava, o médico fez uma sangria e a voz lhe voltou ligeiramente. O doutor aconselhou-a a que chamasse um padre. Ela disse que sim e ele mesmo foi em busca de um abade em São Roque.

Nesse ínterim Marguerite me chamou para perto do leito, fez-me abrir o armário e depois apontou uma touca, uma camisola comprida coberta de renda e disse com voz fraca:

— Vou morrer depois de me confessar e então tu me vestirás com essas roupas. É um capricho de agonizante.

Depois me abraçou, chorando, e continuou:
— Posso falar, mas sufoco quando falo. Estou sufocada! Quero ar!
Eu caí em pranto, abri a janela e pouco depois chegou o padre. Fui recebê-lo.
Quando soube de quem se tratava ele parou receando ser mal recebido.
— Entre sem receio, padre — disse eu.
Ficou algum tempo no quarto da doente; depois disse ao sair:
— Ela viveu como pecadora, mas morrerá como cristã.
Após alguns instantes, voltou com um menino de coro que trazia um crucifixo e um sacristão que seguia na frente anunciando que Deus vinha à casa da moribunda.
Entraram os três naquele quarto de dormir que retivera antigamente tantas palavras estranhas e que a essa hora não era senão um tabernáculo sagrado.
Caí de joelhos. Não sei por quanto tempo perdurará a impressão que esse espetáculo me produziu, mas creio que até que me chegue a mesma hora, nenhuma coisa humana poderá impressionar-me do mesmo modo.
O padre ungiu com os santos óleos os pés, as mãos e a fronte da moribunda, e recitou uma curta prece. Marguerite estava preparada para partir para o céu, para onde sem dúvida ela irá, se Deus viu os sofrimentos de sua vida e a santidade de sua morte.
Durante todo esse tempo ela não disse uma palavra, não fez um movimento. Muitas vezes já a teria julgado morta, se não fosse o seu esforço para respirar.

20 DE FEVEREIRO, CINCO HORAS DA TARDE

Tudo está encerrado.
Marguerite entrou em agonia esta noite, mais ou menos às duas horas. Jamais um mártir sofreu semelhante tortura, a julgar pelos gritos

que dava. Duas ou três vezes ela se ergueu no leito, como se quisesse retomar a vida que subia para Deus.

Duas ou três vezes, também, ela pronunciou o seu nome; depois, tudo se acabou e ela recaiu exausta sobre o leito. Lágrimas silenciosas correram-lhe dos olhos. Estava morta.

Então me aproximei, chamei-a, e como não respondia fechei-lhe os olhos e beijei-a na testa.

Pobre querida Marguerite, eu quisera ser uma santa mulher, para que esse beijo te recomendasse a Deus.

Em seguida, vesti Marguerite como me havia pedido e fui buscar um padre em São Roque. Acendi dois círios para ela e rezei na igreja durante uma hora.

Dei aos pobres o dinheiro que provinha dela.

Não sou muito religiosa, mas acho que o bom Deus há de reconhecer que minhas lágrimas eram verdadeiras, minha oração fervorosa, minha esmola sincera, e terá piedade daquela que, morta jovem e bela, não teve senão a mim para fechar-lhe os olhos e amortalhá-la.

22 DE FEVEREIRO

Hoje foi o enterro. Muitas das amigas de Marguerite foram à igreja. Algumas choravam com sinceridade. Quando o cortejo tomou o caminho de Montmartre apenas dois homens o acompanharam: o conde de G., que veio expressamente de Londres, e o duque, que caminhava amparado por dois empregados.

É da casa dela que escrevo dando todos estes detalhes, em meio às minhas lágrimas e diante da lâmpada que brilha tristemente ao lado de um jantar em que não toco, como o senhor deve compreender, mas que Nanine fez questão de me forçar a comer, porque há vinte e quatro horas que não como.

Minha vida não poderá guardar por muito tempo essas tristes impressões, porque minha vida não me pertence mais que a de Marguerite pertencia a ela. É por isso que lhe dou todos esses pormenores no próprio local onde se passaram, receosa de que, se um longo intervalo os separar de sua volta, eu não os possa relatar com toda a sua triste exatidão.

Capítulo XXVII

— Leu? — perguntou Armand quando terminei a leitura do documento.

— Compreendo o que deve ter sofrido, meu amigo, se tudo o que li é verdade!

— Meu pai mo confirmou em uma carta.

Conversamos por mais algum tempo sobre o triste destino que se havia cumprido e voltei para casa, a fim de repousar um pouco.

Armand, sempre triste mas ligeiramente confortado pelo relato desta história, restabeleceu-se rapidamente e fomos juntos visitar Prudence e Julie Duprat.

Prudence acabava de ir à falência. Disse-nos que Marguerite fora a causa disso. Que durante a sua doença lhe emprestara muito dinheiro, para o que assinara letras que não pudera pagar, já que Marguerite morrera sem devolver o dinheiro nem lhe dar recibos com os quais pudesse apresentar-se como credora.

Com essa mentira, que ela contava por toda a parte a fim de desculpar o mau estado dos seus negócios, ela arrancou uma nota de mil francos de Armand, que não acreditou nela mas preferiu fingir que acreditava, tamanho era o respeito que ele sentia por tudo o que dissesse respeito à amante.

Depois fomos à casa de Julie Duprat, que nos falou dos tristes acontecimentos que testemunhara, derramando lágrimas sinceras ante a lembrança da amiga.

Fomos, enfim, à sepultura de Marguerite, sobre a qual os primeiros raios do sol de abril faziam brotar as primeiras folhas.

Restava a Armand um último dever a cumprir: voltar para junto de seu pai. Ele quis ainda que eu o acompanhasse.

Chegamos a C., onde vi o sr. Duval tal como o imaginara pelo retrato que me pintara o filho: grande, digno e bondoso.

Acolheu Armand com lágrimas de felicidade e apertou-me afetuosamente a mão. Observei logo que o sentimento paternal, no Recebedor, dominava todos os demais.

A filha, chamada Blanche, tinha essa transparência dos olhos e do olhar e essa serenidade da boca que demonstram que a alma não concebe senão pensamentos santos e que os lábios não pronunciam senão palavras piedosas. Ela sorria pela volta do irmão, ignorando na sua pureza que ao longe uma cortesã havia sacrificado a sua felicidade ante a invocação do seu nome.

Fiquei algum tempo com essa família feliz, inteiramente ocupada com aquele que lhe trazia a convalescença do coração.

Voltei a Paris, onde escrevi essa história tal como me foi contada. Ela não tem senão um mérito, que lhe será talvez contestado: o de ser verídica.

Não tiro desse relato a conclusão de que todas as mulheres como Marguerite são capazes de fazer o que ela fez. Longe disso. Mas tive conhecimento de que uma delas experimentara em sua vida um amor real, que sofrera por isso e que por isso morrera. Contei ao leitor tudo o que ouvi. Era um dever para mim.

Não sou apóstolo do vício, mas me farei eco do sofrimento nobre, onde quer que lhe escute o chamado.

A história de Marguerite é uma exceção, repito; mas se fosse um acontecimento comum não valeria a pena escrever a respeito.

FIM

DIREÇÃO EDITORIAL
Daniele Cajueiro

EDITORA RESPONSÁVEL
Ana Carla Sousa

PRODUÇÃO EDITORIAL
Adriana Torres
Laiane Flores
Carolina Rodrigues

REVISÃO
Alessandra Volkert
Bárbara Anaissi

DIAGRAMAÇÃO
Henrique Diniz

Este livro foi impresso em 2022
para a Nova Fronteira.